96 exercices
avec un ballon

Elizabeth Gillies

96 exercices avec un ballon

exercices traditionnels méthode Pilates et postures de yoga

Pour celles et ceux
qui veulent tonifier leur corps
et remodeler leur silhouette

• MARABOUT •

À mon père, Francis D. Gillies,
aujourd'hui disparu.
En témoignage de mon amour.

Sa passion pour les livres m'a poussée
à rédiger cet ouvrage.

Publié pour la première fois aux États-Unis en 2004
Sous le titre original *101 Ways to Work out on the Ball*
par Fair Wonds Press
33 Commercial Street
Gloucester, MA 01930
Textes © 2004 Elizabeth Gillies
Conception © Laura H. Couallier, Laura Hermann Design
© 2005 Marabout pour l'adaptation française

Traduction : Dominique Françoise avec la collaboration d'Isabelle de Jaham

Mise en pages : Philippe Latombe

2501-042-92-1
Dépôt légal : 69614 - mars 2006
4039962
Édition 01
Imprimé en Italie par Rotolito Lombarda

Sommaire

Note aux lecteurs

Les exercices regroupés dans cet ouvrage ne doivent, en aucun cas, se substituer à un traitement médical. Comme toujours, dès qu'il s'agit de santé, il est indispensable de consulter un médecin afin de s'assurer que les exercices proposés ne sont pas contre-indiqués.

Introduction

Si vous fréquentez les salles de sport, les centres de réadaptation fonctionnelle ou les studios Pilates, vous avez probablement remarqué que, depuis quelques années, les ballons suisses, également appelés ballons d'exercice, ballons d'entraînement ou ballons stabilisateurs, comptent parmi les équipements de base. Par ailleurs, si vous pratiquez une activité physique seul chez vous, le ballon suisse fait très certainement partie de votre panoplie.

Facile d'utilisation, le ballon suisse permet de réaliser des exercices particulièrement bénéfiques pour le corps et s'adresse aux débutants comme aux initiés. La vaste gamme d'exercices répond aux besoins de tous — renforcement de la ceinture abdominale, travail avec des haltères, postures de yoga et mouvements empruntés à la méthode Pilates.

L'utilisation d'un ballon suisse aide à prendre conscience de l'instabilité de son corps et, par conséquent, à solliciter et à tonifier les muscles stabilisateurs, à développer sa souplesse et son agilité et ainsi à améliorer sa posture. En effet, garder l'équilibre en étant sur la surface instable du ballon exige que vous renforciez les muscles les plus faibles, à savoir les muscles que vous ne sollicitez que très rarement au quotidien, ainsi que tous les muscles du centre d'énergie (zone entre la ceinture abdominale et le bas du dos).

En d'autres termes, si vous faites des pompes, les pieds en appui sur un ballon, vous tonifiez non seulement les triceps, les pectoraux et les grands dorsaux — ce qui se produit lorsque vous exécutez le même mouvement sans utiliser un ballon — mais également les abdominaux, les muscles lombaires et tous les petits muscles qui protègent et soutiennent la colonne vertébrale.

Mais ce n'est pas tout ! Un exercice réalisé avec un ballon n'a pas sur un muscle donné les mêmes effets que cet exercice exécuté sans ballon. Reprenons l'exemple précédent. Si vous faites des pompes en utilisant un ballon, d'une part, les muscles qui restent au repos lorsque vous faites des pompes traditionnelles travaillent et, d'autre part, les muscles sollicités fournissent un plus gros effort.

En conclusion, travailler avec un ballon suisse est plus efficace et rompt la monotonie des exercices les plus classiques.

COMMENT TOUT A COMMENCÉ

Le ballon suisse a, comme son nom l'indique, vu le jour en Suisse dans les années 1960 à l'initiative du Dr Susanne Klein-Vogelbach, spécialisée dans les troubles orthopédiques et neurologiques. Peu à peu, les médecins traitant des enfants atteints de paralysie cérébrale ou de différents troubles du développement moteur ont commencé à utiliser le ballon suisse pour favoriser la stimulation neuromusculaire après avoir observé que lorsqu'un patient souffrant de troubles moteurs réalisait un exercice avec un ballon suisse, certaines zones de son cerveau étaient fortement stimulées, ce qui se traduisait par une meilleure coordination de ses mouvements. En 1963, les premiers ballons d'exercice sont sortis des usines d'un fabricant de jouets italien, Aquilino Cosani, dont la société Gymnic est aujourd'hui encore leader sur le marché européen. Les ballons Gymnic® envahissent très rapidement les salles de rééducation et de réadaptation fonctionnelle et sont utilisés pour stimuler le système sensori-moteur des prématurés et des enfants souffrant d'un retard du développement moteur du fait d'un traumatisme.

Bien que l'utilisation d'un ballon suisse fasse merveille dans la prévention et la rééducation d'un grand nombre de troubles moteurs, son utilisation n'est pas réservée à des fins thérapeutiques. Si votre objectif est de remodeler votre corps et d'avoir la silhouette longiligne facilement reconnaissable des adeptes de la méthode Pilates, des yogis et des personnes s'entraînant avec des haltères ou effectuant d'autres exercices dits de résistance, investissez dans un ballon. D'une part, vous romprez la monotonie des exercices traditionnels et, d'autre part, vous solliciterez les muscles les plus paresseux tout en prenant conscience – du fait de la surface instable du ballon – des défauts de votre posture, ce qui vous permettra de les corriger.

Le « centre d'énergie » ou centre de gravité du corps est la zone qui englobe le ventre, le dos et les fesses. Les muscles concernés, à savoir les abdominaux, les muscles dorso-lombaires et les glutéaux (fessiers), doivent toujours être sollicités en même temps dans la vie de tous les jours mais également lors d'un exercice physique ou de la pratique d'un sport à haut niveau. Si vous êtes assis sur un ballon suisse et que vous faites un exercice pour tonifier vos triceps – par exemple un curl avec haltères –, solliciter les muscles de votre centre d'énergie est la condition *sine qua non* pour garder une bonne posture et favoriser la coordination des différents muscles du début à la fin du mouvement.

Les bienfaits thérapeutiques des exercices pratiqués avec un ballon suisse sont dus à la forme du ballon qui s'adapte parfaitement aux courbures naturelles de la colonne vertébrale et à sa surface instable qui oblige le cerveau à commander les muscles du centre d'énergie afin que le corps reste en équilibre et que les mouvements soient parfaitement coordonnés. Par ailleurs, pour rester assis sur un ballon, vous devez non seulement solliciter les muscles du centre d'énergie mais également ouvrir la cage thoracique, ce qui, d'une part, favorise la respiration et donc la bonne oxygénation de l'organisme et, d'autre part, assouplit et tonifie la colonne vertébrale.

LA MÉTHODE PILATES ET LE BALLON SUISSE

Même si cela semble évident, il est indispensable de tenir en équilibre sur un ballon suisse, pour faire les exercices correctement. Garder son équilibre est la preuve irréfutable que les muscles du corps les plus importants, soit les muscles du centre d'énergie, sont suffisamment toniques pour remplir leur rôle.

La méthode Pilates mise au point par Joseph Hubertus Pilates regroupe différents exercices dont le but est de tonifier les muscles du centre d'énergie. En exécutant des mouvements de plus en plus complexes, vous prendrez conscience de votre posture et corrigerez votre déséquilibre musculaire. Vous ne pourrez jamais travailler avec un ballon suisse si vous ne comprenez pas les principes de base sur lesquels repose la méthode Pilates.

Joseph Pilates est né en Allemagne en 1880. Asthmatique et atteint de rachitisme, il lutte dès son plus jeune âge contre la maladie. Au fil des années, il étudie le yoga, les arts martiaux, les arts du cirque, l'équitation, la natation et la manière dont bougent les animaux – tout en gardant un esprit très critique.

Durant la Première Guerre mondiale, alors qu'il travaille dans un centre de rééducation où sont transférés les soldats blessés au champ de bataille, il met au point un système à base d'un poids et d'une poulie afin de permettre aux patients alités de faire des exercices physiques. Il attache des cordes aux lits qui deviennent de véritables outils thérapeutiques. Grâce à ses connaissances dans le domaine de la physique, il dessine et produit une ligne de meubles atypiques que vous pouvez voir dans son livre intitulé *Your Health* (1934). Ces meubles en bois équipés de ressorts et de poignées qui ont considérablement amélioré la vie de nombre de malades équipent tous les studios Pilates à côté d'une multitude de ballons suisses. Je parie que si Joseph Pilates était toujours en vie, il aurait mis au point un programme entièrement basé sur l'utilisation des ballons suisses semblable à celui que je vous propose dans cet ouvrage.

La méthode Pilates stimule l'esprit, éveille le corps et fait prendre conscience de l'importance du centre d'énergie qui, je le rappelle, correspond au centre de gravité du corps – soit plus concrètement aux pectoraux, aux abdominaux, aux muscles du dos, y compris les trapèzes, les grands dorsaux et les lombaires et les petits muscles de chaque côté de la colonne vertébrale. Tous les mouvements – et ce quels qu'ils soient – prennent naissance dans ces muscles mais je reviendrai plus tard sur ce point.

Joseph Pilates a baptisé sa méthode « contrôlogie » ou contrôle absolu du corps par l'esprit.

Pour exécuter correctement un exercice emprunté à la méthode Pilates, vous devez apprendre à vous concentrer et à vous détacher du monde extérieur et vous devez faire exactement la même chose lorsque vous travaillez avec un ballon suisse. La patience et la persévérance sont la clef du succès et, même si certaines aptitudes physiques sont requises, le secret de la réussite réside dans la parfaite maîtrise du corps par l'esprit. Plus vous progresserez et mieux vous contrôlerez votre corps, plus vous aurez confiance en vous et mieux vous vous sentirez dans votre tête.

QU'EST-CE QUE LE CENTRE D'ÉNERGIE ?

À quelle(s) partie(s) du corps fais-je référence lorsque je parle du centre d'énergie ? Pour la majorité d'entre nous, les abdominaux et la ceinture abdominale se résument aux grands droits, soit les muscles verticaux au centre de l'abdomen, et lorsque nous voulons les tonifier, nous nous contentons de faire des exercices basés sur la flexion avant.

En agissant ainsi, nous commettons deux erreurs. Premièrement, les muscles dorso-lombaires, qui sont peu sollicités, s'affaiblissent et, deuxièmement, le mouvement étant toujours le même, les muscles s'atrophient, entraînant une proéminence du ventre.

Les exercices que j'ai mis au point pour vous sont basés sur des mouvements dans les trois plans de déplacement de la colonne vertébrale, à savoir vers l'avant (flexion), vers l'arrière (extension), sur le côté (flexion latérale), ou le mouvement rotatoire (rotation). Si nous exécutons des mouvements dans ces trois plans, nos muscles se tonifient, s'allongent et s'affinent et les risques de blessures au niveau du dos diminuent.

Faire des mouvements du buste vers l'avant, l'arrière ou sur les côtés favorise l'équilibre du corps, tonifie et assouplit les différents groupes de muscles. Les mouvements de la cage thoracique sont plus amples, ce qui favorise la respiration et libère votre énergie, ce qui se traduit par un regain de tonus.

Dans un premier temps, faites chaque exercice en vous concentrant sur vos abdominaux. Visualisez-les comme un ensemble de muscles et non comme un muscle plat qui remonte et descend. La visualisation vous aide à solliciter les muscles du centre d'énergie les plus profonds qui, malheureusement, sont trop souvent oubliés. Les muscles du centre d'énergie enveloppent et soutiennent le milieu du buste et « relient » le haut et le bas du corps. Le fait que les muscles profonds travaillent en synergie avec les grands droits tonifie la ceinture abdominale et soulage certaines douleurs dorsales chroniques.

Tous les exercices et le travail de visualisation proposés dans cet ouvrage vous aideront à tonifier votre ceinture abdominale afin que vous puissiez garder votre équilibre lorsque vous êtes sur un ballon suisse. Par le biais de mouvements spécifiques, vous apprendrez à réveiller les muscles les plus profonds.

L'UNION DU CORPS ET DE L'ESPRIT

Faire régulièrement un exercice a des conséquences bénéfiques sur le corps et sur l'esprit. Lorsque vous dansez, que vous faites du sport ou que vous jouez d'un instrument de musique, c'est parce que votre esprit et votre corps travaillent en parfaite synergie que vous suivez la chorégraphie, remportez le match ou jouez les bonnes notes. J'aimerais que vous appréhendiez les exercices avec un ballon suisse de la même manière – à savoir en vous concentrant et en ressentant du plaisir.

Si vous vous entraînez régulièrement avec un ballon suisse et que vous faites attention à votre mode de vie, vous aurez la silhouette fine, musclée et élancée dont vous avez toujours rêvé. Apprendre à contrôler votre corps avec votre esprit vous permettra de profiter pleinement des exercices avec un ballon suisse.

MON HISTOIRE

Aussi loin que je me souvienne, j'ai toujours passé mes loisirs à pratiquer une activité physique et j'ai tellement répété à mes parents que je voulais être danseuse professionnelle qu'ils ont fini par me payer des cours. Malgré leurs mises en garde, j'ai toujours su que je réussirais. Je fus acceptée dans une école proposant un enseignement pluridisciplinaire similaire à celui de l'école Fame. J'y ai passé plusieurs années à étudier la danse classique, différentes techniques de danse moderne, la comédie musicale et la méthode Pilates. Je me suis ensuite tournée vers les universités dont les cours de danse étaient les plus réputés. Rapidement, j'ai voulu intégrer l'Alvin Ailey American Dance Center. J'ai immédiatement été séduite par la méthode Horton. La méthode Pilates et l'analyse du mouvement faisaient partie de l'enseignement obligatoire.

Après mes études, j'ai été sélectionnée comme danseuse pour tourner des vidéos puis j'ai été embauchée par des petites troupes de danse moderne, ce qui m'a permis de voyager. Je voulais toujours en savoir plus sur les limites du corps et j'ai travaillé avec le cirque Ringling Bros.

Je me suis blessée à la cheville et j'ai été soignée – comme tout danseur qui se respecte – dans un centre de rééducation prônant la méthode Pilates. La thérapie en elle-même m'a tellement intéressée que j'ai décidé de retourner sur les bancs de l'école afin de préparer un diplôme en physiothérapie. Je suis devenue élève du premier centre de formation Pilates ouvert à New York où j'ai cotoyé Romana Kryzanowska, grande prêtresse de la méthode Pilates. Avant de mourir en 1967, Joseph Pilates la désigna comme son successeur et la nomma à la tête de son studio new-yorkais. Son savoir semble inné et j'ai eu la chance qu'elle me transmette ce qu'elle savait.

J'ai ensuite rejoint Irene Dowd, une autre grande professionnelle qui m'a tout appris de la réadaptation neuromusculaire. J'ai suivi ses cours en anatomie fonctionnelle et kinesthésique. Je me suis inspirée de son enseignement pour mettre en place la plupart de mes exercices avec un ballon suisse. Durant plusieurs années, j'ai travaillé dur, gérant à la fois mes cours et mon activité professionnelle, mais mes efforts ont toujours été récompensés. Par exemple, en 1991, lors d'une tournée avec une troupe à Santa Fe (Nouveau-Mexique), j'ai eu le privilège de rencontrer Joan Briebart du Physicalmind Institute qui fut, elle aussi, disciple de Joseph Pilates. Joan, éditrice connue pour son sens aigu des affaires, a mis à profit l'enseignement de notre maître pour créer la première école de renommée nationale d'où sortent les meilleurs professeurs de la méthode Pilates. Grâce à l'enseignement de Joan, j'ai mis en place des programmes qui, je l'affirme sans aucune prétention, ont radicalement changé la vie de nombreuses personnes.

C'est en m'appuyant sur les cours de Joan et des autres professeurs du Physicalmind Institute que j'ai élaboré mes différents programmes.

Vingt ans plus tard, avec des milliers d'heures d'enseignement à mon actif et beaucoup de temps consacré à la collecte d'informations scientifiques pour étayer mes théories, c'est toujours dans la méthode Pilates que je puise mon inspiration. Les exercices que je propose évoluent en fonction des besoins des personnes que je reçois et qui, dans la majorité des cas, souffrent des effets néfastes d'une vie sédentaire. Je dispense mes cours à l'Insidescoop Studios (New York) et, poussée par mes amis de Koch Vision, j'ai accepté de faire une série de vidéos intitulées « Liz Gillies Core Fitness ».

J'espère que vous aurez autant de plaisir à lire ce livre que j'en ai eu à le rédiger. Écoutez toujours ce que vous dicte votre cœur et restez fidèle à vous-même !

Liz

CHAPITRE I

Ce qu'il faut savoir avant de commencer

Avant de commencer à travailler, j'aimerais que vous vous familiarisiez avec votre ballon suisse afin de profiter au maximum de chacun des exercices sans prendre le moindre risque. Si vous notez rapidement des résultats et si vous prenez du plaisir à vous entraîner, vous ne serez pas tenté d'abandonner.

QUEL BALLON CHOISIR ?

Choisissez votre ballon en fonction de votre taille. Lorsque vous êtes assis au sommet du ballon, les genoux fléchis à 90°, les cuisses doivent être parallèles au sol.

Si vous mesurez moins de 1,50 m, choisissez un ballon de 45 cm de diamètre ; entre 1,50 et 1,70 m, un ballon de 55 cm ; entre 1,71 et 1,88 m, un ballon de 65 cm et, si votre taille dépasse 1,88 m, prenez un ballon de 75 cm de diamètre.

GONFLER VOTRE BALLON SUISSE

La manière la plus rapide et la plus efficace de gonfler un ballon suisse est de vous rendre dans une station-service au point gonflage des pneus. N'ayez pas peur qu'il éclate, les ballons résistent à une forte pression. Dans un premier temps, votre ballon peut vous sembler plus petit que vous ne l'imaginiez mais plus vous l'utiliserez plus il se détendra, ce qui vous obligera à le regonfler régulièrement.

La plupart des ballons peuvent être gonflés avec une pompe à vélo. Si vous rangez votre ballon dans un endroit froid et humide ou chaud et sec, il se rétractera ou se détendra. Mettez-le (notamment lorsqu'il est gonflé) dans un endroit à l'abri de la chaleur ou du froid.

NI TROP NI PAS ASSEZ GONFLÉ : TROUVER LA JUSTE MESURE

Lorsque vous êtes assis sur votre ballon suisse, veillez à ce que vos genoux soient dans l'alignement des deuxièmes orteils et les os iliaques dans l'alignement des rotules. La surface du ballon étant instable, vous aurez – dans un premier temps – probablement du mal à garder votre équilibre et vous vous crisperez par peur de tomber. Installez-vous le plus confortablement possible car, si vous êtes mal à l'aise, vous aurez des difficultés à réaliser les exercices et vous risquez de vous blesser.

Le diamètre du ballon varie en fonction de votre taille (voir plus haut). Demandez conseil à un vendeur au moment de l'achat et ne gonflez pas votre ballon à bloc. En effet, un ballon mou est plus maniable qu'un ballon dur.

Quelques conseils :

1. Si vous avez du mal à garder votre équilibre sur le ballon, dégonflez-le un peu.

2. Ne vous asseyez pas au sommet du ballon.

3. Une fois que vos mouvements seront fluides et coordonnés, passez à des exercices plus complexes. Lorsque vous n'aurez plus de problème d'équilibre, gonflez un peu plus votre ballon afin qu'il soit plus dur et asseyez-vous sur le haut.

La surface des ballons suisses varie en fonction du fabricant. Certains ballons sont plus résistants que d'autres et plus ou moins opaques. Un ballon épais se détend un peu lorsqu'il est gonflé pour la première fois. Regonflez-le jusqu'à ce qu'il ait la grosseur souhaitée. À la différence d'un ballon peu épais, il y a très peu de risques qu'il se dégonfle ensuite et ce, même après plusieurs utilisations. Essayez différents types de ballons suisses et choisissez celui qui vous convient le mieux. Très vite, vous ne pourrez plus vous en passer !

PRENDRE CONSCIENCE DE SA POSTURE

Les exercices avec un ballon suisse sollicitent non seulement les grands groupes de muscles qui travaillent habituellement mais également les muscles les plus profonds qui entourent les articulations et qui, d'ordinaire, sont laissés pour compte. Il est important que vous compreniez comment fonctionne votre corps afin de choisir les exercices répondant à vos besoins. Lorsque les petits muscles travaillent en synergie dans les trois plans, à savoir vers l'avant, l'arrière et sur les côtés, ils stabilisent les articulations afin qu'une extrémité ou la colonne vertébrale puissent bouger de la manière la plus efficace. Or, au quotidien, nous oublions souvent de solliciter nos muscles stabilisateurs.

En revanche, ces derniers sont sollicités lorsque nous pratiquons des exercices empruntés à la méthode Pilates ou que nous exécutons certaines postures de yoga. La surface instable du ballon suisse nous oblige à nous concentrer sur nos muscles stabilisateurs afin de garder notre équilibre et ne pas tomber. Si vous ne sollicitez pas correctement ces muscles, vous ne pourrez réaliser aucun exercice.

Avant un exercice, contractez les muscles de votre centre d'énergie et prenez conscience de votre corps et de la manière dont il réagit. Seule cette prise de conscience vous permettra d'exécuter correctement un mouvement.

LES TROIS CONCEPTS-CLEFS

Voici les trois raisons pour lesquelles les exercices avec un ballon suisse sont uniques :

1. **Se mouvoir dans les trois plans** : pour garder votre équilibre sur la surface instable d'un ballon suisse, vous êtes obligé de solliciter les muscles posturaux qui entourent votre buste. En contractant ces muscles stabilisateurs, vous étirez votre colonne vertébrale et augmentez sa flexibilité. Votre buste est plus allongé et plus fin. En d'autres termes, les exercices réalisés avec un ballon suisse vous aident à retrouver et/ou à garder un ventre plat et raffermissent les fesses.

2. **La souplesse dynamique** : les exercices avec un ballon suisse sont basés sur la force et la souplesse. Pour tout mouvement, gardez à l'esprit que pendant qu'un côté du corps et un muscle travaillent, l'autre côté et le muscle opposé sont également actifs, ce qui garantit la stabilité du corps. Progressivement, vos muscles deviennent à la fois plus souples et plus résistants, les tensions musculaires chroniques et la fatigue diminuent et votre vie au quotidien s'améliore.

3. **Un mouvement fonctionnel** : lorsque le ballon bouge, vous bougez aussi. Les exercices proposés dans cet ouvrage montrent que le ballon suisse est en fait un outil qui permet de créer une relation entre le corps et le cerveau (le cerveau reçoit des informations et dit au corps comment

effectuer un mouvement). Par ailleurs, gardez à l'esprit qu'un muscle ne travaille jamais seul et ce, même si l'exercice que vous effectuez sollicite un muscle précis.

LES FONDEMENTS D'UNE BONNE POSTURE

La posture est un élément majeur, quel que soit le mouvement que vous faites : danser, pratiquer n'importe quelle activité sportive ou tout simplement bouger. Une bonne posture élimine les tensions et permet de rester actif plus longtemps sans ressentir la moindre fatigue.

Comment expliquer que certaines personnes ne se tiennent pas droites et ressentent des douleurs ? Tout simplement parce qu'elles ont une mauvaise posture, ce qui les empêche de se tenir correctement et, ce qui nous intéresse plus spécifique-

ment, de réaliser un exercice comme il se doit. La lordose et la cyphose sont les deux déviations de la colonne vertébrale les plus répandues. Certaines personnes ont le bas du dos plat ou cambré, ce qui modifie les courbures naturelles de la colonne vertébrale ; d'autres ont une scoliose, c'est-à-dire une déviation de la colonne vertébrale en forme de « C » ou de « S ». Regardez-vous dans un miroir et vérifiez votre posture.

Bien évidemment, l'objet de ce livre est de vous apprendre à trouver la posture « idéale », à savoir celle qui respecte les courbures cervicale (nuque) et lombaire (bas du dos) et sollicite les muscles du centre d'énergie qui, ensemble, forment une espèce de ceinture naturelle. Une bonne posture renforce et assouplit les muscles du centre d'énergie qui supportent à la fois les mouvements de la colonne vertébrale et ceux des extrémités.

Ma philosophie est la suivante : pour apprendre à quelqu'un à faire un exercice ou à exécuter soi-même un mouvement, il est indispensable qu'il comprenne les effets de cet exercice ou de ce mouvement non pas sur une partie isolée du corps mais sur le corps dans son ensemble. Adopter ce fonctionnement est essentiel si vous souhaitez remodeler vos muscles, développer votre équilibre, tonifier et assouplir votre corps et améliorer votre posture.

À l'Insidescoop Studios, mes collaborateurs et moi-même avons reçu une multitude de patients et de clients qui faisaient de la gymnastique trois fois par semaine. Avant de venir nous voir, ils croyaient que lorsqu'ils utilisaient un appareil pour stimuler un muscle spécifique, seul ce muscle effectuait tout le travail lorsqu'ils commençaient à bouger leurs articulations.

Caractéristiques d'une lordose

Une lordose se caractérise par une accentuation des courbures cervicale ou lombaire. Le bassin pointe vers l'avant. On parle alors de convexité « antérieure ».

● Le poids du corps repose sur l'avant des pieds et les abdominaux ne sont pas rentrés.

● Les muscles dorso-lombaires, les fesses et les muscles latéraux des hanches sont très contractés du fait de l'inclinaison du bassin.

● Les muscles fléchisseurs des hanches sont contractés.

Caractéristiques d'une cyphose

On parle d'une cyphose lorsque le dos est voûté.

● La courbure dorsale est accentuée.

● Les muscles fléchisseurs des hanches sont distendus.

● Le cou est comprimé et le menton tombe.

● La poitrine est creusée.

● Déformation très fréquente chez les personnes souffrant d'ostéoporose.

Chaque mouvement sollicite un certain nombre de muscles : les muscles auxquels le mouvement est destiné bien sûr, mais également certains muscles stabilisateurs sur lesquels repose le poids du corps. Les déséquilibres, les douleurs chroniques ou un renflement excessif d'un groupe de muscles sont dus à des muscles distendus ou, au contraire, trop contractés du fait d'une mauvaise posture. Dans la vie de tous les jours, les muscles adoptent la position la plus confortable pour fonctionner en synergie lorsque la colonne vertébrale et les articulations sont sollicitées. L'état émotionnel et les habitudes alimentaires entrent également en ligne de compte. Le ballon suisse vous oblige à prendre conscience de votre posture sous peine d'être déséquilibré et de tomber. Les différents exercices regroupés dans cet ouvrage vous permettent de savoir ce qui se passe à l'intérieur de votre corps. En vous concentrant, vous arriverez à contrôler votre corps avec votre esprit.

Garder à l'esprit ces concepts de base au cours d'un exercice physique vous permet de prendre conscience des parties de votre anatomie que vous sollicitez au quotidien sans même vous en apercevoir. Tous les mouvements et toutes les activités sportives reposent sur ces fondements. Travailler avec un ballon suisse en est la meilleure preuve.

Les bienfaits des exercices ci-après sont nombreux : une silhouette plus fine et plus harmonieuse, des muscles plus toniques, plus fonctionnels et plus efficaces et une prise de conscience des groupes de muscles opposés au sens du mouvement ou muscles antagonistes.

Le centre de gravité du corps se situe à la jonction du bassin et de la cage thoracique — ce que vous devez toujours visualiser lorsque les muscles du centre d'énergie travaillent afin que votre colonne vertébrale reste stable.

Ces fondements sur lesquels reposent les exercices avec un ballon suisse ont pour objectif de vous faire prendre conscience de votre anatomie fonctionnelle et kinesthésique afin que vous mainteniez les courbures naturelles de la colonne vertébrale et exécutiez chaque mouvement avec aisance et fluidité. Utiliser un ballon suisse plutôt qu'un banc de musculation oblige à solliciter les muscles les plus profonds — ceux qui stabilisent les articulations — mais aussi à corriger les mauvaises postures.

Afin de mieux comprendre ce que sont les mauvaises et les bonnes postures, reportez-vous aux illustrations ci-après. Avant de commencer un exercice, corrigez votre posture.

Au fil du temps, grâce à une pratique assidue, de la patience et de la concentration, prendre une bonne posture et garder votre équilibre ne vous posera plus aucun problème. Comme souvent, le secret de la réussite est la persévérance. Ne soyez pas trop pressé. Progresser régulièrement est gratifiant et motivant. Peu à peu, travailler avec un ballon suisse sera pour vous aussi automatique que de vous brosser les dents ! Quel que soit l'exercice que vous vous apprêtez à faire, vérifiez que votre colonne vertébrale est en position neutre, c'est-à-dire que les différentes articulations (épaules, hanches, genoux, chevilles, etc.) sont alignées de manière symétrique par rapport à la colonne vertébrale. Trouvez votre centre de gravité afin d'avoir un meilleur équilibre et de coordonner les muscles des faces antérieure et postérieure du corps et, de ce fait, de solliciter correctement les muscles qui vous permettront d'effectuer le mouvement. Si vous pouvez vérifier l'alignement de votre corps par rapport à vos épaules ou toute autre articulation, le plus important est de trouver la position neutre de votre bassin.

Le bassin correspond au centre d'énergie. De forme triangulaire avec la base vers le haut, le bassin est constitué des deux os iliaques et de l'os pubien. Le bassin est en position neutre ou d'aplomb lorsqu'il n'est ni projeté vers l'avant ni tiré vers l'arrière afin de ne pas altérer le travail des muscles du centre d'énergie situés entre la cage thoracique et le bassin.

UNE POSTURE ASSISE CORRECTE

● Regardez votre corps de côté. Lorsque la position assise est correcte, les épaules sont à la même hauteur, ainsi que les hanches. On dit alors qu'elles sont alignées.

● Les fesses sont juste sous le sommet du ballon. Le poids du corps est également réparti sur le coccyx et les ischions. Il n'y a aucune tension.

● Les hanches et les genoux sont alignés.

● Les chevilles sont dans l'alignement des genoux.

BASSIN TIRÉ VERS L'ARRIÈRE

⬤ Cette posture comprime la face anté-rieure des cuisses et efface la courbure lombaire. La poitrine est creusée et la tête est projetée vers l'avant.

⬤ Concentrez-vous et ramenez le coccyx vers l'arrière. Fléchissez les genoux pour qu'ils soient dans l'alignement des hanches et que les ischio-jambiers soient étirés. Grandissez le buste et ouvrez la cage tho-racique. Contractez les abdominaux et les muscles du dos afin de ne pas être avachi. La partie arrondie à l'arrière du crâne est dans l'alignement du dos. Attention à ne pas relever le menton ou comprimer la nu-que, ce que vous ferez probablement dans un premier temps. Allongez la nuque en tirant la tête vers le haut.

ACCENTUATION EXCESSIVE DE LA COURBURE LOMBAIRE

● Comme tous les débutants, vous aurez probablement tendance à basculer le bassin et, par conséquent, l'ensemble du corps vers l'avant. Les abdominaux ressortent alors que les muscles dorso-lombaires et les épaules sont anormalement tendus. Corrigez votre posture en veillant à ce que vos hanches soient alignées et en prenant appui sur les ischions.

● Le buste est équilibré et le bassin en position neutre. Dans un premier temps, cette position vous semblera peu naturelle et vous aurez l'impression que votre buste est tiré en arrière mais, avec l'habitude, les abdominaux, le dos, les hanches et les muscles du buste travailleront en synergie et vous trouverez cette position nettement plus confortable que lorsque le buste est projeté vers l'avant.

POSITION ALLONGÉE SUR LE VENTRE CORRECTE

● Le bassin est en position neutre et la cage thoracique repose juste sous le sommet du ballon suisse. Les genoux sont fléchis. Les cuisses sont en appui sur le ballon afin de ne pas avoir tendance à contracter trop fortement les muscles sur la face antérieure du corps. Si vous croyez que le fait d'être allongé sur le ventre sollicite automatiquement les muscles de la face postérieure du corps, vous faites erreur ! Ce sont bien les muscles de la face antérieure qui travaillent.

● Repliez les orteils. Le poids du corps est également réparti sur les dix orteils. Étirez la voûte plantaire jusqu'à ce que vous ayez l'impression que l'arrière de vos cuisses se lève. Contractez les muscles glutéaux (fessiers). La nuque est allongée. Tirez lentement les omoplates vers le bas afin de les rapprocher le plus possible de la colonne vertébrale et de stabiliser les épaules. Prenez appui sur le bout de vos doigts. Les non-initiés ont du mal à « sentir » cette position. Décontractez-vous et concentrez-vous sur les différentes parties de votre corps.

EFFACEMENT DE LA COURBURE LOMBAIRE EN POSITION ALLONGÉE SUR LE VENTRE

● Le dos est rond et la nuque tendue.

● Les cuisses écrasent le ballon et, lorsque vous essayez de prendre appui sur les orteils, les genoux fléchis, le corps s'avachit plus encore.

● Pour toutes les positions de départ et en particulier pour celle-ci, pensez toujours à étirer la face antérieure de votre corps afin de solliciter les muscles extenseurs du dos trop souvent oubliés et, par conséquent, peu toniques.

● Visualisez votre nombril et essayez de laisser le plus d'espace possible entre votre cage thoracique et votre bassin, ce qui implique que vous contractiez les muscles du dos et que vous relâchiez les muscles fléchisseurs de la hanche.

POSITION ALLONGÉE SUR LE DOS

● Asseyez-vous sur le ballon puis avancez lentement les pieds en tenant le ballon avec les deux mains. Lorsque le bas du dos est en appui sur le ballon, placez les mains derrière la tête pour éliminer les tensions dans la nuque. Si la position est correcte, la nuque est parfaitement détendue. Les chevilles sont dans l'alignement des genoux. Les cuisses sont parallèles l'une à l'autre et parallèles au sol.

● Si le dos est trop cambré, les muscles dorso-lombaires sont contractés. Dans ce cas, étirez la face antérieure des cuisses en plaquant les fesses sur le ballon.

● Il est primordial que vous sentiez les muscles entre la cage thoracique et le bassin. La cage thoracique appuie fortement sur le ballon et l'arrière de la tête est maintenu par les doigts. Fixez un point devant vous.

● Écartez au maximum les omoplates l'une de l'autre et rapprochez le plus possible la cage thoracique du bassin.

EN APPUI
SUR LE CÔTÉ

● Cette position est l'une de celles qui posent le plus de difficultés aux débutants. Dans la vie de tous les jours, notre buste est soumis à des flexions avant et à des extensions mais rarement à des flexions latérales. Les muscles qui entourent la cage thoracique s'atrophient et se raidissent, ce qui explique que nous ayons du mal à nous pencher sur le côté ou à faire une rotation. J'en profite pour préciser que les rotations du buste tonifient et assouplissent considérablement la colonne vertébrale. C'est pourquoi vous retrouvez ces mouvements dans de nombreuses postures de yoga mais également tout au long de cet ouvrage.

● Collez une hanche contre le ballon et entourez le ballon avec votre bras. Posez l'autre main sur le ballon à la hauteur de la poitrine et pointez le coude vers le plafond.

● Soulevez la cage thoracique et écartez-la au maximum du ballon. Maintenez le ballon en place avec le bras qui l'encercle. Lorsque vous serez habitué à cette position, essayez de mettre les deux mains derrière la tête.

Exercices d'échauffement avec un ballon suisse

Passons maintenant aux exercices à proprement parler. Au début, vous devrez faire preuve de patience et ce, même si vous pratiquez régulièrement une activité physique. Les exercices avec un ballon permettent de découvrir le travail qu'est capable d'effectuer votre corps dans les trois plans (en avant, en arrière et sur les côtés).

Quel que soit l'exercice, sollicitez au maximum les muscles que vous avez tendance à oublier en temps ordinaire. Pour plus de facilité, essayez de visualiser la synergie entre le centre d'énergie et les extrémités. Mais, honnêtement, je pense que la surface instable du ballon aura tôt fait de vous le rappeler sous peine de perdre l'équilibre et de tomber !

Certains exercices vous sembleront nettement plus difficiles que d'autres. Avant de vous attaquer à des mouvements complexes, il est primordial que vous maîtrisiez parfaitement les exercices de base. Même si, dans un premier temps, le ballon vous semble trop gros, n'en changez pas. N'oubliez jamais que lorsque vous sollicitez un muscle précis, le muscle opposé ou antagoniste travaille également, ce qui explique que les exercices vous seront rapidement très bénéfiques et qu'au fil des jours, vous vous sentirez mieux dans votre corps et dans votre tête.

Chaque séance commence par un échauffement de la colonne vertébrale. Les exercices d'échauffement permettent à votre esprit d'entrer en symbiose avec votre corps. Profitez de ce moment pour vous concentrer. Plus vous répéterez une série de mouvements, plus vous serez à l'aise. Les exercices ci-après doivent vous procurer du plaisir et éliminer les tensions qui sont en vous. Mettez votre CD préféré et… en piste !

EFFACEMENT ET ACCENTUATION DE LA COURBURE LOMBAIRE

01 But de l'exercice

IL ÉCHAUFFE LE BAS DU DOS
ET LES ABDOMINAUX.

1. Vous êtes assis sur le ballon. Contractez les muscles pelviens et sphinctériens. Vous avez l'impression que les abdominaux remontent vers la cage thoracique. Continuez la contraction en inspirant profondément.

2. Faites rouler le ballon vers l'avant. Les genoux sont fléchis et dans l'alignement des chevilles. Basculez le bassin en arrière sans relâcher les abdominaux. Le coccyx est tiré vers le bas et le sacrum touche le ballon.

3. Expirez pour ramener le bassin à la position neutre et accentuer la courbure lombaire. Ne relâchez pas les abdominaux qui soutiennent la colonne vertébrale. Répétez l'exercice six fois en gardant les mains sur le ballon afin de ne pas perdre l'équilibre.

ÉTIREMENT LATÉRAL DES HANCHES

02 But de l'exercice

IL OUVRE ET ÉTIRE LES HANCHES.

1. Vous êtes assis sur le ballon, les chevilles dans l'alignement des genoux, les pieds ancrés dans le sol.

2. Contractez les abdominaux puis ouvrez la hanche sur le côté droit. Le mouvement part des fesses. Contractez les muscles des cuisses afin de garder les genoux alignés et parallèles.

3. Revenez à la position initiale puis faites le mouvement sur le côté gauche. Voyez si vous sentez plus de tension dans une hanche que dans l'autre. Respirez naturellement et concentrez-vous afin de solliciter les muscles pelviens et les muscles du centre d'énergie les plus profonds. Répétez l'exercice quatre fois.

Il est primordial que les hanches et les fesses restent stables sur le ballon.

BALANCEMENTS DE BRAS

03 But de l'exercice

IL ÉTIRE LES ÉPAULES,
LA POITRINE ET LE DOS.

1. Vous êtes assis au sommet du ballon, le dos droit et les bras le long du corps.

2. Inspirez et gonflez la cage thoracique en faisant rouler le ballon vers l'avant. Levez les bras pour étirer les grands dorsaux et les abdominaux. Les bras sont décontractés.

3. Faites rouler le ballon en arrière et expirez en ramenant les bras le long du corps. Gardez le buste droit et les genoux dans l'alignement des chevilles. Répétez l'exercice six fois en étirant à chaque fois un peu plus les muscles.

L'étirement au niveau des abdominaux est prononcé. Essayez de ne pas bouger les épaules. Ce sont les muscles de la poitrine et du dos qui travaillent et assurent la stabilité de votre torse.

ÉTIREMENT DU HAUT DU CORPS

04 **But de l'exercice**   IL OUVRE LES ARTICULATIONS DES ÉPAULES ET DU COU.

1. Vous êtes assis sur le ballon, les bras à l'horizontale sur les côtés.

2. Inspirez, ouvrez la poitrine et rapprochez le plus possible les omoplates de la colonne vertébrale en étirant les bras au maximum. Les doigts pointent vers le plafond. Faites deux petits battements des bras.

3. Expirez, arrondissez le dos et faites deux autres battements en contractant les abdominaux et en éloignant le plus possible

les omoplates l'une de l'autre. Le bassin reste en position neutre. Répétez l'exercice six fois.

La cage thoracique remonte et s'éloigne du bassin au lieu de s'en rapprocher.

ÉTIREMENT LATÉRAL, BRAS ALTERNÉS

05 But de l'exercice

IL ALLONGE LES MUSCLES LATÉRAUX ET OUVRE LA CAGE THORACIQUE.

1. Vous êtes assis sur le ballon. Levez le bras gauche au-dessus de votre tête. La paume est tournée vers l'intérieur. Le bras droit est tendu le long du corps, la paume de la main en appui sur le ballon.

2. Glissez le bras droit le long du ballon pour le rapprocher du sol et étirez le plus possible le bras gauche, ce qui ouvre la cage thoracique.

3. Revenez à la position 1, contractez les abdominaux et répétez le mouvement en inversant la position des bras. Répétez quatre fois l'exercice.

Lorsque vous rapprochez le bras du sol, la paume de la main doit exercer une légère pression sur le ballon afin que la hanche opposée ne remonte pas. Les obliques sont sollicités et assurent la stabilité du centre d'énergie. La colonne vertébrale est parfaitement droite.

FLEXION AVANT DE LA COLONNE VERTÉBRALE

06 | **But de l'exercice**

IL ÉTIRE ET DÉCONTRACTE LE DOS ET LA NUQUE.

1. Vous êtes assis sur le ballon, le dos droit et les mains posées à plat sur les cuisses. Les doigts pointent vers l'intérieur des cuisses.

2. Allongez la colonne vertébrale en tirant la tête vers le haut. Contractez les abdominaux les plus profonds. Penchez le buste en avant et arrondissez le dos. Le ballon roule vers l'avant, ce qui donne plus de fluidité au mouvement. La tête plonge vers le sol.

3. Appuyez fortement les mains sur les cuisses, contractez les abdominaux et faites rouler le ballon vers l'arrière en déroulant la colonne, vertèbre après vertèbre, en partant de la base du crâne afin de revenir à la position assise.

Si vous avez du mal à garder votre équilibre, essayez de contrôler le ballon. Seule la persévérance vous permettra de progresser.

TORSION DU BUSTE

07 But de l'exercice

IL ÉLIMINE LES TENSIONS DANS LES MUSCLES LATÉRAUX DU TRONC (OBLIQUES).

1. Vous êtes assis sur le ballon, les bras croisés à la hauteur des épaules. Les genoux sont fléchis à 90°.

2. Inspirez et contractez les abdominaux pour éloigner le plus possible la cage thoracique des hanches.

3. Faites une torsion du buste sur la gauche en veillant à ce que les épaules et les coudes forment un rectangle. Le bassin reste immobile – imaginez que l'on tire vos hanches vers l'arrière.

4. La tête suit le mouvement de la colonne vertébrale. Regardez derrière vous. La nuque est dégagée.

5. Revenez à la position initiale et faites une torsion du buste sur la droite. Répétez l'exercice trois fois de suite.

Veillez à ce que les genoux pointent vers l'avant et restent dans l'alignement des hanches du début à la fin de l'exercice. Commencez par une petite torsion puis accentuez le mouvement au fur et à mesure. Respirez régulièrement.

Exercices en position debout ou en flexion latérale

Les exercices en position debout favorisent l'équilibre et la coordination des mouvements, font transpirer et sont bénéfiques à toutes les parties du corps. J'ai mis au point plusieurs exercices en position debout afin d'ajouter des mouvements circulaires aux exercices qui sollicitent les articulations pouvant faire des rotations. Nous avons tendance à bouger de manière linéaire en considérant le ballon comme le joint à rotule d'une charnière alors que c'est un outil parfait pour explorer les possibilités et les capacités de nos muscles et de nos articulations. Certains exercices sont le reflet de ce mode de pensée. Ils nous procurent du plaisir tout en étant très efficaces et faciles à apprendre. Alors amusez-vous !

ÉTIREMENT
DES GRANDS DORSAUX

08 But de l'exercice

IL CONTREBALANCE LES EFFETS NÉFASTES SUR LE DOS DE LA POSITION ASSISE LORSQUE VOUS RESTEZ TROP LONGTEMPS DEVANT VOTRE ORDINATEUR OU AU VOLANT DE VOTRE VOITURE.

1. Vous êtes debout, les pieds joints et les genoux légèrement fléchis. Prenez le ballon dans vos mains en baissant et en éloignant les omoplates l'une de l'autre. Le dos est droit, la poitrine ouverte. Contractez les abdominaux et rentrez le ventre.

2. Appuyez fortement les paumes des mains sur le ballon tout en gardant les doigts souples.

3. En sollicitant les muscles du milieu du dos, levez le ballon au-dessus de la tête. Les épaules sont baissées et stables du début à la fin du mouvement.

4. Ramenez le ballon contre vos cuisses en gardant le dos droit. Répétez le mouvement cinq fois.

2

DÉBUTANT
FLEXION LATÉRALE

09 But de l'exercice

IL ÉTIRE TOUT LE CÔTÉ DU CORPS ET TONIFIE LES MUSCLES DU DOS ET DE LA FACE ANTÉRIEURE DU TORSE.

1. Vous êtes debout, les jambes légèrement plus écartées que la largeur des hanches. Les pieds pointent un peu vers l'extérieur et les genoux sont légèrement fléchis. Prenez le ballon dans vos mains. Les épaules sont baissées et décontractées.

2. Levez le ballon au-dessus de la tête et, en gardant les bras tendus, inclinez-vous sur la gauche.

3. Revenez à la position initiale et inclinez-vous sur la droite. Faites deux séries de chaque côté.

Contractez correctement les muscles du centre d'énergie avant d'entamer la flexion latérale affine la taille. Les épaules restent dans l'alignement des hanches et ne sont pas tirées en arrière. Les jambes sont fléchies. Lorsque vous maîtriserez cet exercice, vous pourrez tendre les jambes avant de vous redresser pour revenir à la position initiale.

2

DEMI-CERCLES DES BRAS

| 10 | But de l'exercice |

IL TONIFIE ET ÉTIRE LA TAILLE, LE HAUT DU DOS ET LES BRAS.

1. Vous êtes debout les jambes écartées de la largeur des hanches, les genoux fléchis.

2. Maintenez le ballon à la hauteur de la taille, une main sur le dessus et une main sur le dessous. Ne collez pas le ballon à votre buste afin de voir votre poitrine – ce qui assure la stabilité et la mobilité des omoplates.

3. Levez les coudes pour contracter les pectoraux.

4. Faites rouler le ballon afin que la main sur le dessus se retrouve au-dessous et vice versa. Le mouvement part des épaules et est contrôlé par les coudes.

5. Lorsque vous sollicitez la couche inférieure des abdominaux, veillez à ne pas bouger les hanches et à ne pas contracter les fessiers, ce qui aurait une incidence sur le placement de la poitrine et du haut du corps. Faites huit séries en respirant régulièrement.

Gardez les hanches immobiles et le dos droit et trouvez votre centre de gravité. Veillez à ce que la cage thoracique ne soit ni projetée en avant ni tirée en arrière.

DÉBUTANT

DESSINER UN HUIT

| | | **But de l'exercice** | IL ASSOUPLIT LE HAUT DU DOS ET LES ÉPAULES. |

1. Vous êtes debout les jambes écartées de la largeur des hanches, les genoux fléchis. Prenez le ballon dans vos mains à la hauteur de la taille. Ne le collez pas contre votre torse afin de voir votre poitrine. Levez les coudes pour contracter les pectoraux.

2. Dessinez un huit avec le ballon en partant d'une épaule et en changeant de sens au niveau du bassin. Le ballon reste devant les épaules et les hanches. Faites une série de six.

FENTE AVANT

| 2   But de l'exercice

IL ÉTIRE LES MUSCLES FLÉCHISSEURS DES HANCHES (LES MUSCLES QUI VONT DU BAS DU TORSE AU HAUT DES CUISSES) ET LES ISCHIO-JAMBIERS ET SOLLICITE LES QUADRICEPS.

1. Faites une fente jambe droite en avant. Les pieds sont parallèles et espacés d'environ 60 cm. Le poids du corps repose sur la plante du pied gauche. Le ballon suisse est devant la jambe droite. Appuyez fortement le genou droit contre le ballon. Les adducteurs se contractent et le buste se redresse.

2. Contractez les muscles du centre d'énergie et répartissez le poids du corps sur les deux jambes.

3. Fléchissez simultanément les deux genoux et faites rouler le ballon vers l'avant. La colonne vertébrale reste droite. Revenez à la position initiale, répétez le mouvement six fois puis inversez la position des jambes.

ÉTIREMENT DE LA COLONNE VERTÉBRALE

13 | But de l'exercice

IL ÉTIRE TOUT LE DOS.

1. Vous êtes debout, les pieds joints et les cuisses collées l'une contre l'autre. Le ballon est devant vous. Les genoux sont tendus ou fléchis selon que vos ischio-jambiers sont souples ou raides. Le poids du corps est également réparti sur les deux pieds. Arrondissez le dos et posez les mains à plat sur le ballon. Les bras sont tendus.

2. Faites rouler le ballon en avant en gardant le dos rond puis étirez votre colonne vertébrale vertèbre après vertèbre. Vous sentez un étirement au niveau des grands dorsaux et des ischio-jambiers.

3. Ramenez le ballon vers vous en gardant les bras tendus et en serrant les omoplates. Contractez les abdominaux et les ischio-jambiers et revenez lentement à la position debout. Répétez cinq fois l'exercice.

TORSION DU BUSTE EN POSITION DE FENTE, MAIN SUR LA HANCHE

14 But de l'exercice

IL TONIFIE LA BANDELETTE ILIO-TIBIALE, LONGUE BANDE FIBREUSE SITUÉE SUR LA FACE EXTERNE DE LA CUISSE.

2. Fléchissez le genou de la jambe en avant. La hanche pivote vers l'arrière. En même temps, faites rouler le ballon vers l'avant en gardant le bras tendu. La colonne vertébrale est droite. Sollicitez les abdominaux et les muscles de la face externe de la cuisse. Le coude et le torse sont tirés vers l'arrière.

3. Ramenez le ballon près de vous et répétez l'exercice plusieurs fois en accentuant peu à peu la rotation du buste. Inversez la position des jambes et recommencez. Faites trois séries de chaque côté.

1. Vous êtes debout, le dos droit. Faites un pas en avant – d'environ 90 cm. Pointez les orteils du pied arrière vers l'intérieur et ceux du pied avant vers l'extérieur afin que les pieds soient parallèles. En gardant le bassin stable, fléchissez doucement les genoux afin de décoller le talon du pied arrière du sol. Le ballon est au niveau du talon du pied avant. Posez le bout de vos doigts sur le ballon et l'autre main sur la hanche.

TORSION DU BUSTE EN POSITION DE FENTE, BRAS TENDU

15 But de l'exercice

IL TONIFIE LA BANDELETTE ILIO-TIBIALE, LONGUE BANDE FIBREUSE SITUÉE SUR LA FACE EXTERNE DE LA CUISSE.

1. À partir de la position 2 de l'exercice précédent, accentuez l'étirement en fléchissant un peu plus le genou de la jambe en avant et en tendant le bras le plus loin possible derrière vous.

2. Faites huit flexions du genou puis maintenez, comptez jusqu'à huit et inversez la position des jambes.

Redressez le buste comme si vous étiez sur le dos d'un cheval.

ACCROUPISSEMENTS DOS AU MUR

16 But de l'exercice

CET EXERCICE S'ADRESSE TOUT PARTICULIÈREMENT AUX SKIEURS CAR IL EST BASÉ SUR L'ÉQUILIBRE ET LA PRISE DE CONSCIENCE DE L'ALIGNEMENT DU CORPS.

1. Vous êtes debout dos à un mur, le ballon suisse est placé entre vos cervicales et vos lombaires. Les genoux sont fléchis à 90°. Le bassin est en position neutre.

2. Pour éviter que le ballon ne remonte le long du mur au fur et à mesure que vous vous accroupissez, collez la colonne vertébrale au ballon en contractant les abdominaux. Le dos est parfaitement droit. Lorsque les genoux sont dans l'alignement des hanches, immobilisez-vous.

3. Revenez lentement à la position initiale. Répétez l'exercice six fois en maintenant la position assise durant dix secondes lors des deux dernières flexions.

Lorsque la posture est correcte et que la colonne vertébrale est stabilisée, concentrez-vous et contractez les muscles des cuisses tout en sollicitant fortement les abdominaux afin que le poids du corps ne soit pas supporté uniquement par les genoux et les chevilles. Ne vous inquiétez pas si vous avez l'impression que seuls les muscles de la face antérieure des cuisses travaillent lorsque vous vous accroupissez.

GRAND PLIÉ, DÉPART EN DEUXIÈME POSITION

17 | But de l'exercice

IL TONIFIE ET ÉTIRE LES ISCHIO-JAMBIERS (MUSCLES SUR LA FACE POSTÉRIEURE DE LA CUISSE) ET LES QUADRICEPS (MUSCLES SUR LA FACE ANTÉRIEURE DE LA CUISSE) ET IL RAFFERMIT LES FESSES.

1. Vous êtes debout devant le ballon en deuxième position (les pieds espacés d'environ 50 cm et ouverts à 180° dans un plan frontal). Les bras sont tendus et les mains juste derrière les hanches sont posées sur le ballon.

2. Contractez les abdominaux et les muscles du dos et ouvrez la poitrine. Le bassin est en position neutre. Fléchissez les genoux pour faire un grand plié – amenez les genoux au-dessus des deuxièmes orteils. Faites rouler le ballon vers l'arrière en gardant les bras tendus.

Contractez les abdominaux. Lorsque le buste se baisse, le mouvement part de la hanche. Vous sentez un étirement au niveau des muscles des hanches et des glutéaux (fessiers). Penchez-vous légèrement en arrière et appuyez les mains sur le ballon afin de solliciter les triceps. Baissez les épaules afin de stabiliser et d'ouvrir la poitrine.

ACCROUPISSEMENTS

18 But de l'exercice

IL REMODÈLE ET TONIFIE
LES FESSES ET LES CUISSES.

1. Vous êtes debout, les pieds écartés. Contractez les muscles des cuisses et des hanches afin de préserver la courbure lombaire de la colonne vertébrale. Les abdominaux sont rentrés et remontent vers la cage thoracique.

2. Le ballon est à la hauteur de la poitrine. Le dos est droit.

3. Le poids du corps est réparti sur les fesses et le haut des cuisses. Fléchissez les genoux pour faire un grand plié et, en ouvrant la poitrine, levez le ballon au-dessus de la tête. La colonne vertébrale est aussi droite que possible, les genoux sont fléchis et sont au-dessus des deuxièmes orteils. Répétez le mouvement huit fois.

La colonne vertébrale est droite et la poitrine ouverte, ce qui facilite le mouvement des bras.

FENTE, LE BALLON EN APPUI SUR LA CUISSE

19 But de l'exercice

IL TONIFIE LES MUSCLES SOLLICITÉS AU COURS DE LA MARCHE ET LA BANDELETTE ILIO-TIBIALE – LONGUE BANDE FIBREUSE SITUÉE SUR LA FACE EXTERNE DE LA CUISSE.

1. Vous êtes debout, les pieds parallèles mais espacés d'environ 90 cm. Fléchissez le genou de la jambe avant afin de faire une fente. Le ballon est en appui sur la cuisse de la jambe fléchie. Décollez du sol le talon du pied arrière. Le poids du corps repose sur le dessous des orteils. Les chevilles sont parallèles et les hanches stables.

2. Posez les avant-bras sur le haut du ballon et exercez une pression. La poitrine se soulève alors que les abdominaux s'étirent. La colonne vertébrale s'allonge. Les hanches sont alignées. Accentuez la fente puis revenez lentement à la position de départ en comptant jusqu'à trois. Faites deux séries de six en inversant la position des jambes entre les séries.

LES SAUTS DE GRENOUILLE

20 | ## But de l'exercice

IL TONIFIE TOUS LES MUSCLES DES JAMBES.

1. Vous êtes debout, jambes écartées. Les orteils pointent vers l'extérieur. Posez le ballon sur le sol face à vous. Fléchissez les genoux, posez les mains sur le ballon et glissez les coudes à l'intérieur des cuisses. Exercez une pression des coudes sur les cuisses afin de les garder ouvertes. Contractez les fessiers et les abdominaux afin que le poids du corps ne repose pas sur les genoux.

2. En sollicitant les muscles des cuisses, des voûtes plantaires et des fesses, sautez en l'air en levant en même temps le ballon au-dessus de votre tête. Prenez appui sur la pointe des pieds et tendez les jambes au maximum. Les mouvements plyométriques (sauts qui reposent sur la coordination, la puissance et la vitesse) sont particulièrement bénéfiques aux personnes pratiquant le skate-board, notamment. Faites cinq à huit sauts consécutifs.

Levez le ballon au-dessus de votre tête au moment où vous contractez les muscles de la voûte plantaire pour décoller les talons du sol. Pour revenir à la position initiale, posez tout d'abord les orteils au sol puis la plante et enfin le talon. Les genoux ne doivent pas tomber vers l'intérieur. Pour ce faire, contractez les muscles de la face externe de la hanche et les fessiers. Si vous avez des problèmes au niveau de la colonne vertébrale, ne pratiquez pas cet exercice.

CONFIRMÉ

EXTENSION DE LA HANCHE, JAMBE TENDUE VERS L'ARRIÈRE

21 | But de l'exercice

IL TONIFIE LE HAUT DU DOS ET RAFFERMIT LES FESSIERS.

1. Vous êtes debout, le ballon devant vos genoux. Posez les mains sur le sommet du ballon. Fléchissez un genou jusqu'à ce qu'il touche le ballon. Maintenez le ballon en place en gardant les bras tendus. C'est le haut du dos et les omoplates qui travaillent.

2. Levez l'autre jambe sans la fléchir. Les hanches sont alignées et vous sentez un étirement sur le côté de la hanche et de la cuisse qui supporte le poids du corps. Tendez la jambe en appui sur le sol et faites rouler le ballon devant vous en étirant le torse. En gardant la jambe arrière tendue,

faites des extensions et des flexions de la cheville. Vous devez sentir un étirement dans le mollet. Répétez quatre fois l'exercice puis inversez la position des jambes.

Cet exercice ne s'adresse pas aux débutants. Veillez à garder le ballon devant vous de manière à solliciter en même temps les muscles du dos et les abdominaux pour maintenir la poitrine ouverte.

BATTEMENTS DE JAMBE

22 **But de l'exercice**

IL AMÉLIORE LA POSTURE,
IL TONIFIE ET ÉTIRE
LES MUSCLES DES JAMBES.

1. Vous êtes debout, les pieds joints et les genoux légèrement fléchis. Prenez le ballon entre vos mains et appuyez-le contre votre bassin. Les bras sont tendus.

2. Levez le ballon au-dessus de la tête en levant une jambe devant vous aussi haut que possible. La jambe est tendue. Lever le ballon vous aide à solliciter les muscles du centre d'énergie afin de préserver la connexion entre le bassin et la cage thoracique au moment où la jambe quitte le sol. Répétez le mouvement huit fois puis inversez la position des jambes.

TRICEPS : FLÉCHISSEMENT DES AVANT-BRAS EN DEUXIÈME POSITION

23 But de l'exercice

1. Vous êtes debout dos au ballon, les pieds écartés d'environ 90 cm et les jambes ouvertes à 45° à partir des hanches. Les genoux pointent au-dessus des orteils (idéalement, vous devez voir les gros orteils lorsque vous fléchissez les genoux).

2. Posez les mains sur le ballon dans l'alignement des épaules. Les doigts pointent vers les fesses. Décollez les talons du sol et transférez le poids du corps sur la plante en étirant la voûte plantaire.

3. Contractez les abdominaux et les muscles dorso-lombaires afin de maintenir le bassin en position neutre. Le dos est droit et les coudes légèrement fléchis. Sollicitez les triceps pour lever et abaisser votre corps en maintenant le ballon en place. Faites une série de huit.

4. Revenez à la position de départ puis décollez les talons du sol, tendez les bras et levez et abaissez votre corps en faisant rouler le ballon de l'arrière vers l'avant. Faites une série de huit.

5. Collez les talons au sol et gardez les bras tendus en fléchissant les genoux pour faire un grand plié. Attention à ne pas décoller les talons. Faites une série de huit.

IL SOLLICITE SIMULTANÉMENT PLUSIEURS GROUPES DE MUSCLES : MUSCLES SUR LA FACE POSTÉRIEURE DU BRAS, FESSIERS ET ADDUCTEURS.

Les épaules sont dégagées. La poitrine est stable et ouverte.

MOUVEMENTS CIRCULAIRES DES BRAS EN POSITION DE LA RÉVÉRENCE

24 | But de l'exercice

C'EST L'EXERCICE QUI TONIFIE LE PLUS LES MUSCLES GLUTÉAUX (FESSIERS).

1. Vous êtes debout. Faites une révérence, les jambes croisées, la jambe droite tendue en arrière et le genou gauche fléchi. Le buste est droit et les pieds parallèles. Le talon droit est décollé du sol, le poids du corps repose sur les orteils et le talon du pied gauche.

2. Mettez le ballon devant la cuisse gauche puis faites-le rouler devant vous en gardant les bras tendus et en faisant des mouvements circulaires. Les hanches se lèvent et sont tirées en arrière. Continuez le mouvement d'avant en arrière. Les hanches s'ouvrent. Répétez l'exercice quatre à six fois, comptez jusqu'à huit en maintenant la position de la révérence et inversez la position des jambes.

Lorsque vous faites une fente, sollicitez les muscles de la voûte plantaire afin qu'il y ait une bonne répartition du poids du corps. Pendant tout le mouvement, contractez les muscles du centre d'énergie comme lorsque vous avez envie d'uriner mais que vous êtes obligé de vous retenir.

CONFIRMÉ

FLEXION LATÉRALE DU BUSTE ET BATTEMENTS DE JAMBE SUR LE CÔTÉ

25 But de l'exercice

IL AFFINE LA FACE EXTERNE DES CUISSES ET SOLLICITE LES OBLIQUES AFIN QUE LE CORPS RESTE ALIGNÉ. PEU À PEU, VOTRE POSTURE S'AMÉLIORE ET VOTRE TAILLE S'AFFINE

1. Vous êtes à genoux sur un tapis de gymnastique. Mettez le ballon contre la hanche gauche et maintenez-le avec le bras. Inclinez-vous afin de coller la cage thoracique et le bassin contre le ballon. Posez les mains derrière la tête.

2. Levez la jambe droite à la hauteur de la hanche en maintenant le ballon contre votre corps avec le bras gauche. Les hanches et le bassin restent, dans la mesure du possible, collés au ballon.

3. Abaissez la jambe droite vers le sol. Faites une série de cinq battements puis inversez la position des jambes.

Exercices en position assise

Vous pensez probablement que les exercices en position assise sont d'une extrême simplicité. Eh bien, en vérité, rester assis sur un ballon sans qu'il roule est un exercice en soi relativement complexe. Dans les exercices ci-après, non seulement vous êtes assis sur un ballon, mais en plus vous faites des mouvements, ce qui est beaucoup plus difficile qu'il n'y paraît.

En fait, le simple fait de garder son équilibre sur le ballon pose problème à la plupart des débutants. La difficulté vient du fait que sur un ballon, vous devez fortement contracter les muscles du centre d'énergie—les abdominaux et les muscles dorso-lombaires – afin de garder votre équilibre sur la surface instable. Lorsque vous commencez à faire des mouvements, par exemple, lever les jambes ou dessiner des cercles avec les bras, vous avez de plus en plus de mal à garder votre équilibre. Quel que soit l'exercice, vous ne devez en aucun cas relâcher les muscles du centre d'énergie qui vous permettent de contrôler votre corps et de garder les membres et le buste stables.

FLEXIONS LATÉRALES DU TORSE

26 But de l'exercice

IL ÉTIRE LES MUSCLES SUR LES CÔTÉS DU BUSTE ET AFFINE LA TAILLE.

1. Vous êtes assis sur le ballon suisse. Le bras gauche est levé vers le plafond, le bras droit le long du corps et la main droite posée sur le ballon.

2. Fléchissez le torse sur la droite.

Vous sentez un étirement dans le côté gauche. Attention à ne pas bouger le bassin.

3. Revenez à la position initiale et faites l'exercice de l'autre côté. Répétez l'exercice dix à douze fois.

DÉBUTANT

EXTENSION D'UNE JAMBE

27 | But de l'exercice

IL TONIFIE LES QUADRICEPS.

1. Vous êtes assis sur le ballon. Dans un premier temps, posez les mains sur le ballon. Lorsque vous maîtriserez l'exercice, vous lèverez les bras horizontalement à la hauteur des épaules.

2. Levez le genou droit puis tendez la jambe en poussant sur le talon.

3. Sollicitez l'articulation de la cheville : pointe de pied tendue puis pied en flexion.

4. Revenez à la position initiale et tendez la jambe gauche. Répétez l'exercice dix à douze fois.

GENOUX SUR LA POITRINE

DÉBUTANT

28	But de l'exercice

IL TONIFIE LES ABDOMINAUX ET LES MUSCLES LOMBAIRES.

1. Vous êtes assis sur le sommet du ballon, les genoux fléchis à 90° et les mains posées à plat sur le ballon.

2. Ramenez en même temps les genoux sur la poitrine en contractant fortement les abdominaux.

3. Revenez à la position initiale. Répétez cinq fois l'exercice et entraînez-vous jusqu'à ce que vous soyez capable de faire une série de quinze.

DÉBUTANT

ÉTIREMENT DES ISCHIO-JAMBIERS

29 But de l'exercice

IL TONIFIE ET ALLONGE LES MUSCLES DE LA FACE POSTÉRIEURE DE LA CUISSE ENTRE LES FESSES ET LES GENOUX.

1. Vous êtes assis sur le ballon, la jambe droite tendue et le pied en flexion. Les mains sont posées sur le genou gauche.

2. Penchez-vous en avant en étirant au maximum le buste sans décoller les fesses.

3. Changez de jambe et posez les mains sur le genou gauche. Répétez dix à douze fois le mouvement en alternant la position des jambes et des mains.

DÉBUTANT

FLEXION LATÉRALE DU TORSE À GENOUX SUR LE SOL

30 | But de l'exercice

IL ÉTIRE LES MUSCLES SUR LES CÔTÉS DU BUSTE, OUVRE LA POITRINE ET AUGMENTE LA CAPACITÉ RESPIRATOIRE.

1. Vous êtes à genoux sur le sol. Levez le ballon au-dessus de votre tête. Les bras sont tendus.

2. Penchez-vous sur la droite en tirant les hanches sur la gauche. Le buste n'est pas projeté en avant. Les fesses pointent vers le sol.

3. Revenez à la position initiale et faites une flexion sur la gauche. Répétez le mouvement cinq fois.

TRANSFERT DU POIDS DU CORPS D'UNE JAMBE SUR L'AUTRE

31 | But de l'exercice

IL TONIFIE LES MUSCLES DES JAMBES, LES FESSIERS MAIS ÉGALEMENT LES MUSCLES DU CENTRE D'ÉNERGIE. SI, DU DÉBUT À LA FIN DE L'EXERCICE, VOUS GARDEZ LES BRAS TENDUS HORIZONTALEMENT, LES TRICEPS ET LES MUSCLES DES ÉPAULES SERONT PLUS TONIQUES.

1. Vous êtes debout, le ballon entre les jambes, le dos droit et les bras le long du corps. Les épaules sont baissées et décontractées. Le mollet gauche est en appui sur le ballon. Le poids du corps repose sur la jambe droite.

2. Fléchissez le genou droit et accroupissez-vous sur le ballon. Les pointes de pieds pointent vers l'extérieur. Vous êtes en deuxième position (danse classique).

3. Redressez-vous en transférant le poids du corps sur la jambe gauche et en faisant glisser la jambe droite sur le ballon jusqu'à ce que le mollet prenne appui sur le ballon. Répétez dix fois le mouvement.

ÉTIREMENT DU BUSTE – BALLON FACE À VOUS

32 **But de l'exercice** IL ÉTIRE LE DOS ET LE HAUT DU CORPS. IL SOLLICITE LES MUSCLES TRANSVERSES (ABDOMINAUX LES PLUS PROFONDS, MUSCLES STABILISATEURS DU TRONC).

1. Vous êtes assis sur le sol. Les jambes tendues dessinent un V. Les pieds sont en flexion. Le ballon est entre vos cuisses. Les mains sont posées sur le ballon.

2. Faites rouler le ballon vers l'avant pour étirer au maximum les muscles du dos.

Maintenez la position en inspirant et en expirant profondément plusieurs fois de suite.

3. Revenez à la position initiale. Répétez l'exercice cinq fois.

ÉTIREMENT DU BUSTE – BALLON SUR LE CÔTÉ

33 But de l'exercice

CE MOUVEMENT, EMPRUNTÉ À LA MÉTHODE PILATES, TONIFIE TOUS LES MUSCLES DU CENTRE D'ÉNERGIE – ABDOMINAUX, PECTORAUX ET MUSCLES DORSO-LOMBAIRES.

1. Vous êtes assis sur le sol. Les jambes tendues sont ouvertes au maximum et dessinent un V. Les pieds sont en flexion. Le ballon est devant vous. Les bras sont tendus, les mains sont à plat sur le ballon.

2. Faites rouler le ballon vers le pied gauche en gardant les deux hanches collées au sol.

3. Revenez à la position initiale et faites rouler le ballon vers le pied droit en veillant à ne pas décoller les hanches. Répétez le mouvement cinq fois.

EXTENSION JAMBE TENDUE

34 But de l'exercice

IL TONIFIE ET ALLONGE LES MUSCLES DES JAMBES ; IDÉAL POUR AVOIR LES JAMBES GALBÉES DES DANSEUSES !

1. Vous êtes assis sur le ballon, les jambes écartées de la largeur des hanches, en appui sur la plante des pieds. Levez les bras au-dessus de la tête.

2. Tendez la jambe droite sans poser le talon gauche sur le sol. Sollicitez l'articulation de la cheville droite : pied pointé et pied en flexion.

3. Revenez à la position initiale et inversez la position des jambes. Répétez huit fois le mouvement.

CHAPITRE 5

Exercices avec haltères

Les exercices de type « résistance », c'est-à-dire les exercices avec des poids ou des haltères, sont particulièrement bénéfiques. Au fil des ans, notre masse musculaire et notre capital osseux diminuent, nous prenons du poids, notre corps est moins robuste et nous avons de plus en plus de difficultés à bouger.

Alors que les exercices avec des haltères ne demandent aucune aptitude physique particulière et ne prennent pas beaucoup de temps – il suffit de faire environ huit exercices chaque jour pour rester en forme – de nombreuses personnes, notamment les femmes, rechignent à pratiquer ces exercices qui leur semblent ennuyeux, monotones et peu bénéfiques. Par ailleurs, certaines femmes craignent, à tort, de se transformer en « Madame Muscle ». Laissez-moi vous donner un petit cours d'anatomie qui, très certainement, changera votre vision des choses.

Lorsque vous êtes jeune, vos muscles sont par nature toniques et robustes. Votre peau est lisse et tendue, votre buste est droit et, la plupart du temps, votre silhouette est élancée. Au fil des ans, votre masse musculaire diminue, votre peau ne repose plus sur les muscles et de la cellulite se forme. Votre buste perd de la tonicité et vos épaules se voûtent car vos muscles ne sont plus suffisamment toniques. Et comble de malheur, vous grossissez car la graisse prend plus de place que les muscles. Une cuisse pleine de graisse est plus grosse qu'une cuisse musclée. Pour preuve, observez les danseurs. Bien que très musclés, ils n'ont jamais de graisse en trop.

Si certaines personnes ont peur de devenir grosses en pratiquant des exercices de type « résistance », c'est parce que leur seule référence est le corps des culturistes dont le but est d'avoir des muscles volumineux. Ils mangent et font des exercices pour développer leurs muscles, ce qui n'est pas notre objectif. Si nous travaillons avec des haltères, c'est uniquement pour préserver notre masse musculaire, avoir un corps fin et musclé, améliorer notre posture, tonifier notre peau et rester en bonne santé.

Travailler avec des haltères et un ballon suisse est à la fois amusant et efficace. D'une part, vous devez rester en équilibre sur le ballon et, d'autre part, le poids des haltères s'ajoute au poids de votre corps, ce qui vous oblige à solliciter plus fortement vos muscles.

Lorsque vous travaillez avec des haltères, exécutez lentement chaque mouvement afin de stimuler les muscles les plus paresseux. Concentrez-vous sur la forme comme vous le feriez pour une posture de yoga ou un exercice emprunté à la méthode Pilates. Plus vous exécutez correctement un mouvement, plus vous avez conscience des parties de votre corps qui travaillent – et plus les résultats sont rapides.

Lorsque je mets au point des mouvements de type « résistance » pour mes clients, je fais en sorte – dans la mesure du possible – qu'ils puissent être exécutés avec un ballon suisse car les exercices sont d'autant plus efficaces qu'ils vous obligent à stabiliser les muscles du centre d'énergie et les articulations connexes. Même si vous travaillez avec des haltères dans le but de tonifier les extrémités supérieures et inférieures, vous devez veiller à solliciter correctement votre colonne vertébrale mais aussi votre cage thoracique et votre bassin afin de profiter pleinement de tous les bienfaits de l'exercice.

En fait, pour tout exercice (mais ce conseil est également valable pour toute activité quotidienne requérant un effort physique), pensez à solliciter les muscles du centre d'énergie afin que la colonne vertébrale reste stable. Dans le cas contraire, vous ne réussirez pas à garder votre équilibre et vous tomberez du ballon. Si les muscles du centre d'énergie travaillent en symbiose et si la respiration est parfaitement contrôlée, le buste saura réagir afin de rétablir l'équilibre en fonction de l'amplitude et de la vitesse des mouvements exécutés. Par ailleurs, du fait de la surface instable du ballon, les muscles superficiels viennent soulager les articulations. En fait, la surface du ballon est un défi permanent pour l'équilibre qui ne peut être gardé que si les muscles du centre d'énergie sont activement (je dis bien « activement ») contractés.

La plupart des personnes qui commencent à s'entraîner avec des haltères ne pensent ni à leurs abdominaux ni aux muscles de leur dos et de leurs hanches. L'objectif de cet ouvrage est de vous faire prendre conscience du rôle primordial que jouent les muscles du centre d'énergie au fur et à mesure que votre corps se transforme. Peu à peu, vos mouvements seront plus fluides et mieux coordonnés, vous retrouvez votre équilibre et vous aurez plus d'énergie au moment où vous effectuerez les exercices, mais aussi après, et votre posture sera meilleure. De plus, utiliser à bon escient les muscles du centre d'énergie fait disparaître certaines douleurs chroniques résultant d'un déséquilibre musculaire ou de mouvements mal contrôlés.

Grâce à vos efforts et à votre persévérance, vos bras et vos jambes seront remodelés et mettront en valeur des muscles plus symétriques. En sollicitant les couches les plus profondes de vos abdominaux que vous n'aviez jamais fait travailler jusqu'à ce jour, vous aurez un ventre plat et musclé.

Tant que vous ne maîtriserez pas les exercices, vous devrez vous concentrer afin de

afin de stabiliser le centre d'énergie. Par exemple, lorsque vous faites l'exercice intitulé « Lever vertical des bras » (p. 68-69), le fait d'être assis sur le ballon suisse vous oblige à contracter les muscles du centre d'énergie, allonger la colonne vertébrale, garder le centre de gravité, solliciter les muscles des épaules et des hanches sous peine de tomber. Vous vous en rendrez d'autant plus compte lorsque vous lèverez les bras tout en décollant un pied du sol — si vous ne sollicitez pas très fortement les obliques, vous perdrez l'équilibre.

LA MOBILITÉ DU CORPS

Le corps peut effectuer un certain nombre de mouvements dans différentes directions : vers l'avant/l'arrière, le haut/le bas, d'un côté/de l'autre côté. Lorsqu'une articulation est stable, les muscles qui l'entourent travaillent efficacement. Si, *a contrario*, une articulation est instable, les muscles les plus robustes habitués à travailler dans une direction sont sollicités en premier alors que les muscles les plus fragiles continuent à s'affaiblir et que les ligaments sont de plus en plus distendus. Restez concentré sur votre posture afin de faire travailler les muscles qui, d'ordinaire, sont passifs et d'éliminer les tensions qui se créent dans les muscles habitués à travailler même si nous avons tendance par facilité à solliciter les muscles les plus robustes.

ne pas perdre votre équilibre lorsque vous serez assis ou allongé sur le ballon, un haltère dans chaque main, et vous devrez veiller à solliciter simultanément les muscles de la face antérieure et de la face postérieure de votre tronc avant de bouger les bras et les jambes. Peu à peu, les muscles du centre d'énergie seront en quelque sorte le moteur de votre corps, contrôlant votre respiration, le degré d'énergie et d'attention que vous aurez.

Quel que soit l'exercice que vous vous apprêtez à faire, ne prenez jamais les haltères dans vos mains tant que votre corps n'est pas en équilibre sur le ballon, notamment si vous optez pour des mouvements sollicitant le dos ou la poitrine. Le ballon épouse les courbures naturelles de la colonne vertébrale à condition que les muscles squelettiques soient sollicités au même moment et travaillent en symbiose

Ne travaillez pas avec des haltères trop lourds.
Si vous êtes débutant, optez pour des haltères pesant entre 1,5 et 2,5 kg.

INTERMÉDIAIRE

LEVER VERTICAL DES BRAS

35 | But de l'exercice

IL FAIT TRAVAILLER LE DESSUS
ET LA FACE ANTÉRIEURE
DES ÉPAULES ET AMÉLIORE
LA POSTURE.

1. Vous êtes assis sur le ballon, les pieds écartés de la largeur des hanches et les avant-bras sur les cuisses (les paumes tournées vers le plafond). Prenez un haltère dans chaque main et fléchissez les coudes.

2. Amenez les mains à la hauteur des épaules (curl) en sollicitant vos biceps. Puis levez doucement les bras. Le mouvement part des épaules.

LEVER VERTICAL DES BRAS

3. Le dos est stable et les abdomi-naux sont contractés. Les bras sont tendus à la verticale au-dessus de la tête et les paumes sont tournées vers l'avant.

4. Revenez lentement à la position initiale. Répétez le mouvement quatre fois.

Si vous avez des problèmes d'épaules, modifiez l'exercice de la façon suivante : levez les coudes à la hauteur du nez et ne tendez pas les bras à la verticale. Ne faites pas de mouvements amples tant que vos épaules ne sont pas stables.

BICEPS : CURL AVEC HALTÈRES EN POSITION ASSISE, UNE JAMBE LEVÉE

36

1. Vous êtes assis sur le sommet du ballon suisse, les coudes au niveau des hanches, un haltère dans chaque main. Les paumes sont tournées vers le plafond et les doigts ne sont pas crispés sur les haltères. Contractez les muscles du centre d'énergie afin de redresser le dos et d'aligner les épaules.

2. Levez le pied droit à environ 15 cm au-dessus du sol. Les muscles de la cuisse sont relâchés. Ce sont les obliques et les muscles du centre d'énergie les plus profonds qui vous permettent de garder l'équilibre.

3. Fléchissez les coudes pour amener les haltères au niveau des épaules puis abaissez-les lentement afin de poser les paumes sur les cuisses. Répétez le mouvement huit fois puis reposez le pied droit sur le sol et levez le pied gauche pour faire une autre série de huit.

Veillez à garder les hanches alignées afin de solliciter correctement les muscles du centre d'énergie. Essayez de visualiser les côtes, les bras et le bassin. Les côtes sont alignées tout comme les bras et les hanches, ce qui favorise l'alignement des épaules.

INTERMÉDIAIRE

TORSION LATÉRALE DU TORSE

37 But de l'exercice

IL TONIFIE ET ÉTIRE LES PECTORAUX (LES MUSCLES DE LA POITRINE).

1. La tête et le dos sont collés au ballon suisse. Le corps est incliné vers le haut (voir p. 158). Levez les hanches afin de prendre la position de la planche. Les genoux sont fléchis à 90°. Les haltères sont posés sur le sol. Prenez un haltère dans chaque main et fléchissez les coudes pour amener les haltères de chaque côté de la poitrine.

2. Tendez les bras en enfonçant les omoplates dans le ballon pour stabiliser l'articulation des épaules. Les bras sont légèrement plus hauts que le tronc.

3. Faites une torsion latérale du buste pour amener un bras au-dessus de l'autre. Pendant tout le mouvement, gardez les yeux fixés sur l'haltère. Les paumes se rejoignent. Répétez quatre fois l'exercice en alternant la position des bras.

Pendant tout l'exercice, les hanches restent alignées. Les genoux sont dans l'alignement des hanches. Les chevilles sont juste en dessous des genoux et le poids du corps est également réparti sur les talons et les orteils des deux pieds. Vous sentez un étirement au niveau des muscles du centre d'énergie les plus profonds.

BICEPS : CURL EN AVANT ET LATÉRAL, UNE JAMBE LEVÉE

38	But de l'exercice

IL TONIFIE LES MUSCLES DE LA FACE ANTÉRIEURE DES BRAS ET LES ABDOMINAUX.

1. Vous êtes assis sur le sommet du ballon. Prenez un haltère dans chaque main. Les coudes sont au niveau des hanches. Décollez un pied du sol (environ 15 cm).

2. Fléchissez les coudes pour amener les haltères au niveau des épaules.

3. Ramenez les bras le long du corps puis ouvrez les bras et faites un curl latéral. Répétez l'exercice dix fois puis changez de jambe et faites une nouvelle série de dix.

BICEPS : CURL, LES CUISSES ET LA POITRINE EN APPUI SUR LE BALLON

39 But de l'exercice IL TONIFIE LES MUSCLES DU BRAS.

1. Vous êtes à genoux sur le sol, la poitrine et les cuisses en appui sur le ballon. Les orteils sont repliés. Prenez un haltère dans chaque main et tendez les bras. Les paumes sont tournées vers le plafond.

2. Fléchissez les coudes pour amener les paumes au niveau des épaules puis baissez-les lentement en enfonçant les coudes dans le ballon. Faites une série de dix.

BATTEMENTS DE BRAS EN APPUI SUR LE CÔTÉ

40 But de l'exercice

IL ISOLE ET TONIFIE LES PECTORAUX.

1. Le côté gauche du buste et la cuisse gauche sont en appui sur le ballon. La jambe gauche est tendue. La jambe droite est devant la jambe gauche, le genou fléchi. Maintenez la tête avec la main gauche (le coude est fléchi). Prenez un haltère dans la main droite et levez le bras. Les épaules sont alignées.

2. Baissez le bras droit. Le coude est au milieu de la poitrine. Le buste reste stable. Répétez le mouvement dix fois.

3. Revenez à la position de départ puis changez de côté et faites une autre série de dix.

LEVER VERTICAL DES BRAS, LE DOS EN APPUI SUR LE BALLON

41 But de l'exercice

IL TONIFIE LES MUSCLES DE LA POITRINE ET DES ÉPAULES.

1. L'arrière de la tête, les épaules, le dos et les fesses sont en appui sur le ballon. Le corps est incliné vers le bas (voir p. 158). Prenez un haltère dans chaque main. Fléchissez les coudes et enfoncez-les dans le ballon, les paumes sont tournées vers l'avant.

2. Tendez les bras à la verticale en veillant à ce qu'ils restent dans l'alignement de la poitrine. Tirez les épaules vers le bas du dos et tournez les paumes l'une vers l'autre.

3. Ramenez les coudes sur le ballon. Répétez le mouvement dix fois.

TRICEPS :
FLEXION ARRIÈRE DES BRAS

42 | **But de l'exercice** — IL TONIFIE LES MUSCLES DE LA FACE POSTÉRIEURE DES BRAS.

1. Les épaules et le bas du dos sont en appui sur le ballon. Le corps est incliné vers le haut (voir p. 158). Prenez un haltère dans chaque main et fléchissez les coudes pour les amener à hauteur de la tête. L'arrière des épaules est enfoncé dans le ballon. Les coudes sont verrouillés.

2. Tendez les bras sans bouger les coudes.

3. Revenez à la position initiale et répétez l'exercice dix fois.

FLEXION LATÉRALE EN APPUI SUR LE BALLON

43 But de l'exercice

IL TONIFIE ET REMODÈLE LES MUSCLES DE LA FACE ANTÉRIEURE DES ÉPAULES.

1. Le côté gauche du corps est en appui sur le ballon. Le haut de la cuisse et la hanche sont collés au ballon. La jambe gauche est tendue. La jambe droite est devant la jambe gauche, le pied à plat sur le sol. Posez la main gauche au-dessus de la hanche droite. Prenez un haltère dans la main droite et collez le coude droit au bassin.

2. Penchez le buste sur la gauche en maintenant la tête avec la main gauche. Faites une rotation du bras droit et approchez-le du sol jusqu'à ce qu'il soit parfaitement tendu.

3. Ramenez le coude contre la hanche et répétez le mouvement dix à douze fois. Changez de côté et faites une nouvelle série.

CONFIRMÉ

TRICEPS : PETITS COUPS CONTRE LE BALLON EN POSITION ASSISE

| 44 | But de l'exercice | IL TONIFIE LES MUSCLES DE LA FACE POSTÉRIEURE DES BRAS. |

1. Vous êtes assis sur le ballon. Prenez un haltère dans la main droite et tendez le bras en arrière. La paume est tournée vers l'intérieur.

2. Levez le bras afin que l'haltère soit à environ 20 cm du ballon.

3. Baissez le bras et tapez doucement le ballon avec l'haltère. Le bras est tendu. Répétez le mouvement dix fois puis changez de bras et recommencez une nouvelle série.

INTERMÉDIAIRE

ROWING, À GENOUX ET EN APPUI SUR LE BALLON

45 But de l'exercice

IL TONIFIE LE HAUT ET LE MILIEU DU DOS ET AMÉLIORE LA POSTURE.

1. Vous êtes à genoux sur un tapis de gymnastique face au ballon. La poitrine, le bassin et les cuisses sont collés au ballon. Prenez un haltère dans chaque main et tendez les bras vers le sol. Les paumes sont tournées vers le ballon.

2. Serrez les omoplates et ouvrez la poitrine. Fléchissez les coudes en arrière et levez-les vers le plafond en pressant la cage thoracique contre le ballon.

3. Revenez à la position de départ et répétez l'exercice dix fois.

LEVER LATÉRAL DES ÉPAULES, UNE JAMBE FLÉCHIE

46 But de l'exercice
IL TONIFIE LE MILIEU DES ÉPAULES ET LES ABDOMINAUX.

1. Vous êtes assis sur le ballon, les coudes fléchis sur les côtés. Prenez un haltère dans chaque main et levez le pied gauche à environ 15 cm au-dessus du sol.

2. Levez les coudes sur le côté pour les amener à la hauteur des épaules.

3. Baissez les coudes et répétez le mouvement six fois. Reposez le pied gauche sur le sol et fléchissez la jambe droite. Faites une nouvelle série de six.

CONFIRMÉ

FLEXION LATÉRALE
AVEC HALTÈRE, JAMBE TENDUE

47 | **But de l'exercice**

IL EST IDÉAL POUR TONIFIER
LES MUSCLES DU DOS
ET LES OBLIQUES.

1. Le côté gauche du corps est en appui sur le ballon. La hanche gauche est collée au ballon. La jambe gauche est tendue. La jambe droite est devant la jambe gauche, le pied à plat sur le sol. Prenez un haltère dans la main droite.

2. Posez la main gauche au-dessus de la hanche droite. Levez le bras droit et calez votre tête au creux de votre coude. L'avant-bras tombe vers le sol. Les doigts ne sont pas crispés sur l'haltère et le poignet n'est pas en flexion.

3. Inspirez et décollez le buste du ballon. Le bras droit suit le mouvement. Le coude est fléchi. La nuque est décontractée et les épaules baissées. Maintenez la position une ou deux secondes. Assurez-vous que le torse est aligné lorsque vous bougez.

4. Revenez à la position **2.** Répétez l'exercice dix fois, changez de côté et faites une nouvelle série de dix.

Pour rester en appui sur le ballon, vous devez impérativement contracter les abdominaux, ce qui n'est pas facile !

DÉBUTANT

EXTENSION DES TRICEPS EN POSITION ALLONGÉE SUR LE VENTRE

48 | **But de l'exercice**

IL TONIFIE LES MUSCLES DE LA FACE POSTÉRIEURE DES BRAS.

1. Vous êtes allongé sur le ventre. La poitrine et le bassin sont collés au ballon. Les jambes sont écartées et légèrement fléchies. Les coudes sont fléchis et pointent vers le plafond.

2. Tendez les bras vers l'arrière en faisant une rotation afin que les paumes soient vers le sol.

3. Revenez à la position initiale et répétez le mouvement dix fois.

Pour tonifier les muscles du dos, tendez les jambes en arrière et levez les bras le plus haut possible sans serrer les omoplates.

LEVER D'HALTÈRES EN POSITION ALLONGÉE SUR LE DOS

49 But de l'exercice

IL OUVRE LA POITRINE
ET TONIFIE LES PECTORAUX.

1. Les épaules, le dos et les fesses sont collés au ballon. La nuque est étirée. Le corps est incliné vers le bas (voir p. 158). Prenez un haltère dans chaque main et fléchissez les coudes. La tête plonge vers le sol.

2. Ouvrez les bras en gardant les coudes légèrement fléchis.

3. Levez les bras à la verticale et rapprochez-les. Les paumes sont tournées l'une vers l'autre. Revenez à la position initiale puis répétez dix à douze fois le mouvement.

CHAPITRE 6

Exercices en position allongée sur le dos

Ces exercices qui sollicitent fortement les abdominaux sont ceux que préfèrent mes clients. Le ballon suisse est un accessoire très efficace pour ce type de mouvements du fait de sa forme et de sa surface instable. À la différence d'un tapis de gymnastique posé sur le sol, le ballon suisse épouse les courbures naturelles, courbures cervicale et lombaire de la colonne vertébrale. Lorsque vous faites des enroulements du tronc, le corps reste en position neutre et seuls les abdominaux travaillent, ce qui n'est pas le cas si vous réalisez le même exercice sur le sol. Les mouvements étant plus efficaces, vous notez plus rapidement des résultats tout en faisant des séries moins longues.

Avant toute chose, vous devez maîtriser les deux positions ci-dessous :

1. Position allongée sur le dos à même le sol, les genoux sur le ballon : dans un premier temps, mettez le ballon contre un mur.

2. Position allongée sur le dos sur le dessus du ballon : je vous recommande de vous asseoir sur le ballon et de vous laisser glisser jusqu'à ce que votre dos soit étiré et collé au ballon. Veillez à ce que la cage thoracique soit remontée et le plus éloignée possible du bassin. Le coccyx doit être en appui sur le ballon.

EXERCICE DE PRÉPARATION À L'ENROULEMENT DU TRONC

50 But de l'exercice

IL PERMET D' EFFECTUER CORRECTEMENT UN ENROULEMENT DU TRONC. N' « ÉCRASEZ » PAS VOS ABDOMINAUX MAIS ÉTIREZ-LES AFIN D'AVOIR LE VENTRE PLAT.

1. Vous êtes allongé sur le dos, les genoux fléchis, les pieds à plat sur le sol. Posez le ballon suisse entre vos genoux et vos mains. Les bras sont tendus.

2. Faites rouler doucement le ballon le long de vos cuisses. La colonne vertébrale est étirée, l'arrière de la tête est collé au sol, la nuque est allongée, le bas du dos n'est pas cambré. Ce sont les muscles du centre d'énergie qui travaillent.

DÉBUTANT

EXERCICE DE PRÉPARATION À L'ENROULEMENT DU TRONC

3. Décollez la tête, la nuque et les épaules du sol sans exercer une pression trop forte des mains sur le ballon. La colonne vertébrale reste stable sur le sol. Le dos n'est pas cambré et le coccyx s'enfonce dans le sol. Répétez l'exercice huit à dix fois.

Les mains sont écartées de la largeur des épaules et posées à plat sur le ballon. Les bras sont tendus. Si les coudes sont fléchis, le point d'appui changera. En effet, votre sens kinesthésique – c'est-à-dire la manière dont vous ressentez la position de votre corps et les mouvements – mais également la circulation de l'énergie dans les différentes parties du corps seront affectés.

OPPOSITION ÉPAULE-GENOU

51 But de l'exercice

IL TONIFIE LES OBLIQUES, AFFINE
LE TORSE ET LA TAILLE.

1. Vous êtes allongé sur le dos sur un tapis de gymnastique, les coudes fléchis et les mains derrière la tête. Les genoux sont fléchis et les pieds sont posés sur le ballon. La colonne vertébrale entre la cage thoracique et le bassin est étirée. Le coccyx est collé au sol.

2. En gardant les genoux fléchis, approchez le ballon de vos fesses. Sollicitez les ischio-jambiers afin que le bassin reste en position neutre. Le coccyx pointe vers le ballon.

DÉBUTANT
OPPOSITION ÉPAULE-GENOU

3. Une fois que le bassin est immobilisé, approchez le coude gauche du genou droit. Essayez de visualiser le mouvement et imaginez une ligne diagonale entre l'épaule gauche et la hanche droite. Enfoncez le coude droit dans le sol. Ce sont les obliques qui travaillent.

4. Revenez à la position initiale et approchez le coude droit du genou gauche. Faites deux séries de cinq.

Les obliques sont plus profonds et moins robustes que les autres abdominaux. Par ailleurs, les obliques sont généralement plus robustes d'un côté que de l'autre, notamment chez les personnes qui ont une scoliose ou qui passent une grande partie de la journée assises.
Essayez de déterminer le côté le plus faible et sollicitez-le plus fortement afin de restaurer un équilibre.

INTERMÉDIAIRE

ENROULEMENT DU TRONC À L'ENVERS

52	But de l'exercice

IL TONIFIE LES MUSCLES DU CENTRE D'ÉNERGIE, NOTAMMENT LES ABDOMINAUX INFÉRIEURS OU ABDOMINAUX SOUS-OMBILICAUX.

1. Vous êtes allongé sur le dos. Posez le ballon face au sommet de votre crâne et maintenez-le avec les deux mains. Les bras sont à environ 30 cm au-dessus du sol. La ceinture scapulaire est stable et les grands dorsaux sont étirés. Les jambes sont tendues à la verticale. Les têtes fémorales s'emboîtent dans la cavité cotyloïde (cavité articulaire de la hanche). Concentrez-vous sur vos os et vos articulations et non sur vos muscles qui, s'ils sont hypertendus, ris-

quent de vous faire perdre l'équilibre. Les jambes sont parallèles et collées l'une à l'autre. Les chevilles, l'intérieur des genoux et les têtes fémorales sont alignés.

2. Contractez les muscles du centre d'énergie et baissez les jambes afin qu'elles soient à environ 20 cm du sol. Les abdominaux sont étirés alors que le nombril se rapproche du sol. Le bas du dos est collé au sol. Lorsque vous sentez que vous êtes sur le

INTERMÉDIAIRE

ENROULEMENT DU TRONC À L'ENVERS

point de perdre l'équilibre, décollez le bassin du sol et posez les pieds sur le ballon en expirant. Les jambes sont tendues, la partie inférieure du corps (entre les ischions et les talons) est parfaitement rectiligne.

3. Expirez et revenez à la position initiale en collant les vertèbres l'une après l'autre sur le sol et en gardant les mains sur le ballon afin d'immobiliser le haut de votre corps. Répétez quatre à six fois l'exercice.

Si vous sentez des tensions dans la nuque ou le bas du dos, ne faites pas cet exercice ou levez les jambes mais stoppez le mouvement dès que vous ressentez une douleur ou une gêne. Attendez que vos muscles soient plus toniques et que vous soyez plus souple pour faire le mouvement en entier.

TORSION DU BUSTE, JAMBES TENDUES ET SURÉLEVÉES

53 | But de l'exercice

IL ASSOUPLIT LA COLONNE VERTÉBRALE ET TONIFIE LES MUSCLES DU CENTRE D'ÉNERGIE.

1. Vous êtes allongé sur le dos sur un tapis de gymnastique, les genoux fléchis à 90°, les talons parallèles et en appui sur le dessus du ballon. Les bras sont tendus derrière la tête.

2. Inspirez et approchez les bras le plus possible du ballon tout en faisant rouler le ballon en avant avec les talons. Le tronc suit le mouvement du ballon. Ne contractez pas trop les abdominaux. Étirez la colonne vertébrale puis tendez les bras à l'horizontale et faites une rotation pour saisir le pied gauche avec la main gauche et dessiner un T. Veillez à ce que les muscles de la face antérieure des cuisses ne soient pas hypertendus. Fléchissez les genoux si vous avez du mal à garder le dos droit.

3. Lâchez le pied gauche et ramenez les bras à l'horizontale. Revenez à la position initiale en collant les vertèbres l'une après l'autre sur le sol et en fléchissant peu à peu les genoux. Tendez les bras derrière la tête. Répétez le mouvement cinq fois.

Si vous sentez une tension dans les ischio-jambiers, gardez les genoux légèrement fléchis. Si vous avez du mal à garder le dos décollé du sol, pensez à décontracter la couche supérieure des abdominaux.

DÉBUTANT

FAIRE ROULER LE BALLON LE LONG D'UN MUR

54 | But de l'exercice

IL TONIFIE LES ISCHIO-JAMBIERS ET TOUS LES MUSCLES DU CENTRE D'ÉNERGIE.

1. Vous êtes allongé sur le dos. Le ballon est contre un mur et les pieds sont à plat sur le ballon. Le dos est collé au sol.

2. Faites monter et descendre le ballon le long du mur en fléchissant les genoux et en décollant les hanches du sol. Appuyez fortement sur le ballon avec les pieds. Les épaules sont décontractées. Ne crispez pas vos doigts sur le sol. Vous sentez le mouvement au niveau des hanches et du bassin.

3. Veillez à ce que les hanches, les genoux et les pieds soient alignés. Les jambes sont parallèles et écartées de la largeur des hanches. Répétez le mouvement cinq fois.

2

ÉLÉVATION ET OSCILLATION DU BASSIN

55 But de l'exercice

IL TONIFIE LES MUSCLES DES CUISSES ET DES HANCHES.

1. Vous êtes allongé sur le dos, les genoux fléchis à 90°, les pieds sur le sommet du ballon. Serrez les cuisses l'une contre l'autre et appuyez fortement les jambes sur le ballon. Les orteils pointent vers le plafond, l'articulation des chevilles est souple.

2. Contractez simultanément les abdominaux et les muscles des hanches tout en rapprochant vos jambes l'une de l'autre, en décollant les hanches du sol et en faisant rouler le ballon vers l'avant.

3. Reposez les hanches sur le sol en ramenant le ballon dans le creux de vos genoux. Le mouvement est contrôlé par les muscles sur les faces antérieure et postérieure des cuisses. Répétez le mouvement dix fois et faites une autre série si vous le souhaitez.

Essayez de garder les genoux et les chevilles souples lorsque vous faites rouler le ballon.
Si les chevilles restent en position neutre, ce sont les ischio-jambiers qui travaillent lorsque les pieds sont posés sur le ballon.

DE LA POSITION ASSISE
À LA POSITION SEMI-ALLONGÉE

56 | But de l'exercice

IL ÉTIRE LE DOS ET TONIFIE LES ABDOMINAUX ET LES QUADRICEPS. IL ÉLIMINE LES TENSIONS DANS LE HAUT DU CORPS.

1. Vous êtes assis sur le ballon, les hanches juste sous le sommet du ballon.

2. Posez les mains sur le ballon et avancez les pieds jusqu'à ce que votre dos soit en appui sur le ballon.

3. Rapprochez les pieds du ballon pour revenir à la position initiale. Répétez l'exercice deux à cinq fois.

DÉBUTANT

LEVER ET BAISSER LE BASSIN, LES JAMBES FLÉCHIES

57 But de l'exercice

IL TONIFIE LES MUSCLES DES CUISSES.

1. Vous êtes allongé sur le dos, les bras le long du corps, les genoux fléchis à 90°, les talons et les orteils en appui sur le ballon. Les cuisses sont parallèles et les deuxièmes orteils dans l'alignement des rotules.

2. La colonne vertébrale est en position neutre. Contractez les muscles externes et les muscles de la face postérieure des cuisses. Tout le poids du corps repose sur le ballon. Inspirez puis expirez profondément en contractant les muscles du centre d'énergie et des cuisses pour décoller les hanches du sol puis le dos jusqu'à ce qu'il n'y ait plus que les omoplates qui soient en

contact avec le sol. La colonne vertébrale est rectiligne entre la cage thoracique et le bassin. Le ventre est rentré. Levez et baissez les hanches dix fois de suite puis maintenez la position en comptant jusqu'à dix.

Pensez à rapprocher le plus possible le ballon de votre corps au lieu de l'éloigner car, dans ce cas, ce sont les muscles sur la face antérieure des cuisses et non les ischio-jambiers qui sont sollicités.

INTERMÉDIAIRE

LEVER ET BAISSER LE BASSIN EN FAISANT ROULER LE BALLON

58 **But de l'exercice** IL TONIFIE LES ISCHIO-JAMBIERS.

1. Vous êtes allongé sur le dos, les bras le long du corps, les genoux fléchis à 90°, les talons et les orteils en appui sur le ballon. Les cuisses sont parallèles, les deuxièmes orteils sont dans l'alignement des rotules.

2. Décollez les hanches du sol. Prenez appui sur les orteils et décollez les talons. Ramenez le ballon vers les fesses en levant le bassin le plus haut possible.

3. Reposez les talons sur le ballon et redescendez le bassin vers le sol. Le mouvement est lent. Ce sont les muscles des cuisses qui travaillent et supportent votre tronc. Cet exercice sollicite fortement les ischio-jambiers.

4. Veillez à ce que la colonne vertébrale reste en position neutre et n'oubliez pas d'expirer lorsque vous décollez les hanches du sol en contractant les muscles pelviens. Répétez l'exercice dix fois.

ÉLÉVATION DU BASSIN, LES JAMBES FORMANT UN LOSANGE

59 **But de l'exercice**

IL TONIFIE LES ABDOMINAUX, LES ADDUCTEURS ET LES MUSCLES GLUTÉAUX (FESSIERS).

1. Pour éviter que le ballon roule, placez-le contre un mur. Vous êtes allongé sur le dos, les pieds sur le sommet du ballon et les plantes de pieds l'une contre l'autre. Les genoux tombent sur les côtés. Exercez une pression sur le ballon avec le bord externe des pieds comme pour enfoncer le petit orteil dans le ballon. Ouvrez les genoux au maximum en contractant les muscles de la face postérieure des hanches et en étirant les adducteurs.

2. Décollez les hanches du sol puis reposez-les sans modifier la position des jambes (losange). Le bassin est stable, les deux hanches sont alignées. Répétez l'exercice dix fois puis décollez les hanches du sol et maintenez la position en comptant jusqu'à dix.

Si vos adducteurs manquent de souplesse, contentez-vous de les étirer en gardant les hanches collées au sol. Lorsque vous vous sentirez capable de faire l'exercice en entier, visualisez votre corps qui monte et descend en un seul bloc et transférez tout le poids de votre corps sur vos pieds.

LEVER ET BAISSER LE BASSIN EN FAISANT ROULER LE BALLON

60   But de l'exercice

IL TONIFIE ET ÉTIRE TOUS LES MUSCLES DE LA JAMBE. S'IL EST CORRECTEMENT EXÉCUTÉ, VOS FESSIERS SERONT RAPIDEMENT PLUS TONIQUES.

1. Vous êtes allongé sur le dos, les genoux fléchis à 90° par-dessus le ballon de telle sorte que les pieds soient de l'autre côté du ballon. Serrez les cuisses et maintenez le ballon en place au creux de vos genoux. Les pieds sont joints (pointes de pieds tendues) et prêts à entrer en action !

2. Décollez les hanches du sol et le bas du dos jusqu'à ce que le poids du corps repose entièrement sur les omoplates. Exercez une forte pression des mollets sur le ballon pour soutenir votre dos et contractez les muscles des cuisses et des fessiers.

3. Levez la jambe droite jusqu'à ce qu'elle soit perpendiculaire à la hanche. Étirez les pointes de pieds des deux jambes. Contractez les muscles des hanches et de la jambe gauche afin que le corps soit parfaitement rectiligne des épaules aux orteils. Baissez la jambe droite puis faites quatre petits battements. Inversez la position des jambes et faites une nouvelle série de quatre battements. Si besoin, revenez à la position initiale pour corriger votre posture sur le ballon et vous reposer. Si vous avez des difficultés à réaliser cet exercice, fléchissez légèrement les genoux.

Les deux hanches sont alignées. Vérifiez que la cuisse est perpendiculaire à la hanche avant de tendre la jambe – afin que l'ischio-jambier soit étiré au maximum, ce qui accroît la stabilité. Attention ! La plupart des gens ont tendance à d'abord tendre la jambe puis ensuite à la lever, ce qui n'est pas bon pour le dos.

DÉBUTANT

ÉTIREMENT DES ISCHIO-JAMBIERS

61 | But de l'exercice

IL ÉTIRE ET ÉLIMINE LES TENSIONS À L'ARRIÈRE DE LA JAMBE.

2. Tendez les deux jambes en même temps. Gardez les mains soit sur le mollet, soit derrière le genou afin d'accentuer l'étirement de la jambe droite. La jambe gauche fait rouler le ballon vers l'avant afin d'éliminer les tensions dans les muscles fléchisseurs de la hanche, notamment le psoas-iliaque, et de permettre au bassin de rester en position neutre.

3. Rapprochez le ballon des fesses. Les têtes fémorales s'emboîtent dans les cavités cotyloïdes alors que le coccyx s'enfonce dans le sol. Le bassin reste en position neutre. Répétez le mouvement cinq fois puis inversez la position des jambes et faites une nouvelle série de cinq.

1. Vous êtes allongé sur le dos, les genoux fléchis à 90°, les deux pieds à plat sur le ballon. Amenez la jambe droite sur la poitrine et maintenez-la dans cette position avec les deux mains – les mains sont le plus près possible de la cheville ou derrière le genou si vous manquez de souplesse.

Si besoin est, modifiez l'étirement en fléchissant légèrement le genou. Cet exercice est l'un de mes préférés et je vous recommande de le faire plusieurs fois par jour et ce, même sans prendre appui sur un ballon, notamment après un exercice ou un sport stimulant le système cardio-vasculaire.

INTERMÉDIAIRE

ROTATION DES ADDUCTEURS

62 But de l'exercice

IL TONIFIE LES ADDUCTEURS ET LES ABDUCTEURS MAIS ÉGALEMENT LES ABDOMINAUX.

1. Vous êtes allongé sur le dos, les jambes tendues à la verticale. Maintenez le ballon entre vos jambes. Le bas du dos est collé au sol, la nuque est allongée. Si le bas de votre dos est cambré, glissez une serviette de toilette roulée sous la partie la plus basse de la courbure lombaire (la base du dos). Serrez fortement le ballon en contractant les muscles sur les côtés et l'arrière des cuisses et en faisant faire aux adducteurs une légère rotation vers l'extérieur. Le mouvement part de la hanche.

2. Contractez les muscles du centre d'énergie pour stabiliser la colonne vertébrale sur le sol et commencez à faire tourner le ballon en sollicitant les adducteurs alors que les muscles sur les côtés et l'arrière des cuisses exercent une traction. Les têtes fémorales s'emboîtent dans les cavités cotyloïdes, ce qui permet au bassin de rester stable et aux hanches de travailler dans tous les plans. Répétez huit fois l'exercice en accentuant un peu plus les mouvements à chaque fois.

Vous pouvez placer le ballon à votre convenance mais prenez soin de presser celui-ci avec l'intérieur de vos genoux.

FLÉCHISSEMENT DES AVANT-BRAS

63 But de l'exercice

IL TESTE LA TONICITÉ DES MUSCLES DU CENTRE D'ÉNERGIE ET LA ROBUSTESSE DE LA PARTIE SUPÉRIEURE DU CORPS.

1. Vous êtes assis face au ballon suisse, les mains derrière le dos juste sous les épaules, les doigts pointés vers les fesses. Veillez à ce que les bras soient tendus et les coudes alignés avec les épaules afin que les articulations des épaules soient stabilisées et que le poids du corps ne repose pas uniquement sur les bras. Levez les jambes et posez-les sur le sommet du ballon. Les jambes sont parallèles.

INTERMÉDIAIRE
FLÉCHISSEMENT DES AVANT-BRAS

2. Décollez les hanches du sol afin que les jambes, le torse et la tête soient alignés. Cet exercice qui s'adresse à des initiés requiert un parfait contrôle des muscles du tronc.

3. Rapprochez le corps du sol en fléchissant les coudes qui, de ce fait, pointent vers l'arrière. Le poids du corps ne repose pas exclusivement sur les bras. Contractez les abdominaux afin de soulager les articulations des épaules.

4. Rapprochez le corps du sol jusqu'à ce que vous sentiez que les épaules sont

moins stables ou que le milieu du corps s'affaisse. Tendez les bras afin de revenir à la position initiale. Répétez l'exercice dix fois. Si vous vous en sentez le courage, faites une seconde série ou répétez le mouvement, mais cette fois en levant une jambe.

Gardez le bassin pointé vers le plafond du début à la fin du mouvement. Pour plus de facilité, gardez les jambes le plus haut possible sur le ballon.

DÉBUTANT

DESSINER UN « C »

64 | **But de l'exercice**

IL TONIFIE LES MUSCLES DE LA FACE POSTÉRIEURE DES BRAS.

1. Vous êtes assis sur le ballon, les pieds à plat sur le sol.

2. Faites rouler le ballon et penchez-vous en arrière jusqu'à ce que le bas et le milieu du dos soient en appui sur le ballon. Le haut du dos est arrondi. Le ballon épouse la courbure lombaire.

3. Tendez les bras à l'horizontale devant vous puis contractez les abdominaux afin de décoller le milieu du dos du ballon. Pressez les lombaires sur le ballon et étirez le dos. Expirez en revenant à la position initiale. Répétez le mouvement dix fois.

CONFIRMÉ
LE PONT

65 But de l'exercice

IL DÉCONTRACTE ET ÉTIRE LES MUSCLES FLÉCHISSEURS DES HANCHES ET LES QUADRICEPS TOUT EN TONIFIANT LES MUSCLES GLUTÉAUX (FESSIERS) ET LES ISCHIO-JAMBIERS.

1. Vous êtes allongé sur le dos, les pieds posés sur le ballon et écartés de la largeur des hanches. Décollez légèrement les hanches du sol en exerçant une pression des orteils sur le ballon.

2. Levez un peu plus haut les hanches en faisant rouler le ballon et en posant les talons dessus.

3. Levez encore plus haut en contractant les muscles des épaules et du haut du dos mais en gardant la nuque allongée. Maintenez la position quelques secondes et reprenez appui sur les orteils.

4. Redescendez lentement le buste sur le sol. Répétez l'exercice cinq fois.

EXERCICE DE PRÉPARATION À L'ENROULEMENT DU TRONC

66 | **But de l'exercice**

IL EST IDÉAL POUR OBTENIR DES ABDOMINAUX ET DES MUSCLES DORSO-LOMBAIRES TONIQUES ET UN VENTRE PLAT.

1. Le dos et la tête sont en appui sur le ballon. Les bras sont tendus de chaque côté de la tête. Mettez les mains derrière la tête. Les coudes pointent sur le côté.

2. Contractez les abdominaux pour décoller le haut du dos du ballon.

3. Relâchez les abdominaux pour revenir à la position initiale. Répétez le mouvement cinq fois. Au fil du temps, vous arriverez à faire une série de dix.

ÉTIREMENT DES GLUTÉAUX (FESSIERS) ET DES MUSCLES DE LA HANCHE

67 **But de l'exercice** IL ÉTIRE LES MUSCLES GLUTÉAUX (FESSIERS) ET LES MUSCLES DES HANCHES.

1. Vous êtes allongé sur le dos, les jambes fléchies. Posez le pied gauche à plat sur le ballon et la cheville droite sur le genou gauche.

2. Ramenez le ballon vers les fesses en appuyant avec la cheville droite sur le genou gauche pour l'ouvrir au maximum. Revenez à la position de départ. Répétez le mouvement dix fois, inversez la position des jambes et faites une nouvelle série de dix.

ÉLÉVATIONS DU BASSIN

68 **But de l'exercice**

IL TONIFIE L'INTÉRIEUR DE L'AINE ET LES MUSCLES PELVIENS.

1. Vous êtes allongé sur le dos, les genoux fléchis à 90° et les pieds sur le sommet du ballon.

2. Contractez les ischio-jambiers et les muscles glutéaux (fessiers) et décollez les hanches du sol.

3. Redescendez le bassin sans relâcher les muscles des jambes et des fesses. Répétez le mouvement cinq fois. Entraînez-vous jusqu'à ce que vous arriviez à faire une série de dix.

C'est une excellente rééducation pour les femmes qui viennent d'accoucher !

CONFIRMÉ

ÉTIREMENT DU TORSE, JAMBES LEVÉES

69 But de l'exercice

IL ASSOUPLIT LA COLONNE VERTÉBRALE ET TONIFIE LES MUSCLES FLÉCHISSEURS DE LA HANCHE.

1. Les fesses, le dos et la nuque sont en appui sur le ballon. Les mains sont à plat sur le sol, les doigts pointés vers le ballon.

2. Levez simultanément les deux jambes le plus haut possible. Si vous n'arrivez pas à garder votre équilibre, ne levez qu'une jambe à la fois.

3. Baissez une jambe puis l'autre, redressez-vous et mettez les mains derrière la tête. Ne faites jamais l'exercice plus de deux fois de suite.

2

OPPOSITION ÉPAULE-GENOU

70	But de l'exercice

IL TONIFIE LES OBLIQUES ET AFFINE LA TAILLE.

1. Vous êtes assis sur le ballon, le corps incliné vers le haut (voir p. 158). Mettez les mains derrière la tête.

2. Levez le genou droit et approchez le coude gauche du genou droit en gardant le dos collé au ballon.

3. Revenez à la position initiale et changez de côté. Répétez le mouvement cinq à dix fois.

Croisez les mains afin qu'elles supportent tout le poids de la tête et qu'il n'y ait aucune tension dans la nuque.

OPPOSITION BRAS-JAMBE

71 | But de l'exercice

IL SOLLICITE PLUS FORTEMENT LES OBLIQUES ET LES MUSCLES TRANSVERSES QUE L'EXERCICE PRÉCÉDENT.

1. Vous êtes assis, le dos en appui sur le ballon, les bras levés au-dessus de la tête.

2. Redressez le buste et, sans bouger le bras droit, touchez le genou droit avec la main gauche. Le bras gauche est tendu.

3. Revenez à la position initiale, changez la position des bras et répétez cinq fois le mouvement.

INTERMÉDIAIRE

ENROULEMENT DU TRONC, BRAS TENDUS AU-DESSUS DE LA TÊTE

72 | But de l'exercice

IL TONIFIE LES GRANDS DROITS SANS CRÉER DE TENSION AU NIVEAU DU DOS.

1. Les fesses et le dos sont en appui sur le ballon. Le corps est incliné vers le haut (voir p. 158). Les bras sont levés au-dessus de la tête, les coudes sont à la hauteur des oreilles et les paumes sont serrées l'une contre l'autre.

2. Relevez le buste en gardant les épaules baissées et en contractant les abdominaux.

3. Revenez à la position initiale. Répétez huit à dix fois le mouvement et faites une seconde série si vous le souhaitez.

CONFIRMÉ
LE BÛCHERON

| 73 | But de l'exercice |

IL TONIFIE LES MUSCLES DU DOS ET LES ABDOMINAUX ; IL ALLONGE ET AFFINE LE TORSE.

1. Les fesses et le dos sont en appui sur le ballon. Les bras sont tendus derrière la tête et les doigts croisés.

2. Inclinez le buste sur la droite en gardant les bras tendus. Vous sentez un étirement dans le côté gauche. Les hanches sont immobiles.

3. Redressez-vous et posez les deux mains sur le genou gauche comme si vous coupiez du bois avec une hache. Répétez le mouvement six fois d'un côté puis six fois de l'autre.

MOUVEMENTS CIRCULAIRES, BRAS ALTERNÉS

74	But de l'exercice

IL ÉTIRE LES MUSCLES DU DOS, DES ÉPAULES ET LES ABDOMINAUX ; IL TONIFIE LES MUSCLES STABILISATEURS.

1. Les fesses et le bas du dos sont en appui sur le ballon. Le corps est incliné vers le haut (voir p. 158). Les genoux sont dans l'alignement des hanches, les bras sont tendus devant vous, les doigts pointés les uns vers les autres.

2. Levez le bras droit au-dessus de la tête et tendez le bras gauche vers le genou droit. Regardez votre main droite. Le bassin est bien ancré dans le ballon.

3. Dessinez des cercles avec le bras droit puis revenez à la position initiale. Répétez l'exercice quatre fois, inversez la position des bras et faites une nouvelle série.

CONFIRMÉ

ENROULEMENT COMPLET DU TRONC

75 But de l'exercice

IL TONIFIE LES GRANDS DROITS.

1. Les fesses, le bas du dos et les épaules sont en appui sur le ballon. Le corps est incliné vers le bas (voir p. 158). Les genoux sont écartés de la largeur des hanches et les mains derrière la tête. Si besoin est, modifiez légèrement la position afin d'être le plus à l'aise possible.

2. Serrez les coudes et enroulez le buste en comptant « un ».

3. Revenez à la position initiale en comptant jusqu'à trois. Répétez le mouvement huit à dix fois. Faites une seconde série si vous le désirez.

Pour augmenter la difficulté, prenez un médecine-ball de 1 ou 2 kg. Tenez-le entre les mains derrière la tête en vérifiant que la nuque est allongée.

CHAPITRE 7

Exercices en position allongée sur le ventre

En général, les personnes qui utilisent un ballon suisse adorent exécuter des exercices en position allongée sur le ventre car elles ont l'impression de se détendre et de fournir des efforts moindres par rapport aux autres exercices. Or elles se trompent complètement ! En effet, ce n'est pas parce que vous êtes allongé sur le ventre que vos muscles sont moins sollicités ; il suffit de penser aux pompes ! Pendant ces exercices, vous n'êtes pas allongé par terre mais vous regardez au sol et ce type d'exercice est généralement redouté !

La position allongée sur le ventre est idéale pour tonifier la face postérieure du corps – tous les muscles du dos sans exception et les muscles des jambes. Les muscles du dos comprennent les trapèzes (juste sous la nuque), les rhomboïdes (sous les omoplates), les grands dorsaux (sur les côtés du dos) et les muscles sacro-lombaires (muscles extenseurs de la colonne vertébrale). Si vous passez la plus grande partie de la journée assis à un bureau, les muscles de votre dos sont fragilisés, ce qui entraîne une mauvaise posture et une position avachie. Par ailleurs, lorsque vous levez une charge ou portez un enfant, vous sollicitez probablement plus un côté de votre corps que l'autre, ce qui explique le déséquilibre que vous ressentez parfois.

Les exercices ci-après tonifient et étirent les muscles du dos et des jambes. Vous avez plus de facilité à assumer les différentes tâches quotidiennes et vous vous sentez plus tonique. L'objectif de ces exercices n'est pas de vous permettre de porter des charges de plus en plus lourdes, mais tout simplement d'assumer le quotidien sans risquer de vous blesser. Ne vous inquiétez pas, je ne vous demanderai pas de porter des haltères très lourds mais d'entretenir vos muscles pour être en pleine forme et parfaitement contrôler vos mouvements.

EXTENSION DU HAUT DU DOS, JAMBES TENDUES ET MAINS EN APPUI SUR LE BALLON

76	But de l'exercice

IL TONIFIE LES MUSCLES SITUÉS AU MILIEU DU DOS ET ÉLIMINE LES TENSIONS AU NIVEAU DES LOMBAIRES.

1. La poitrine et le bassin sont en appui sur le ballon, les jambes tendues et écartées de la largeur des hanches, les plantes de pieds fermement ancrées au sol, les mains à plat sur le ballon devant la poitrine.

2. Collez le ballon au bassin et étirez le haut du dos en éloignant le plus possible la poitrine du ballon. Revenez à la position initiale et répétez le mouvement huit fois.

DÉBUTANT

EXTENSION DU DOS, BRAS ET BUSTE EN FORME DE « T »

77 But de l'exercice

IL TONIFIE ET ÉTIRE LES TRAPÈZES ET LES RHOMBOÏDES.

1. Le ventre et les cuisses sont collés au ballon, les genoux sont légèrement fléchis, les bras sont tendus sur les côtés à la hauteur des épaules, la nuque est allongée.

2. Faites rouler le ballon vers l'avant en contractant simultanément les muscles des jambes et en tirant les bras en arrière vers les hanches.

3. Revenez à la position initiale et répétez le mouvement dix fois.

EXTENSIONS ALTERNÉES DES JAMBES

78	But de l'exercice

IL TONIFIE LES ISCHIO-JAMBIERS ET LES MUSCLES GLUTÉAUX (FESSIERS) ; IL REMONTE ET RAFFERMIT LES FESSES.

1. Le haut du buste est en appui sur le ballon, les genoux sur le sol. Rapprochez le ballon de votre poitrine et maintenez-le en place avec les mains.

2. Tendez la jambe droite en arrière jusqu'à la hauteur de la hanche.

3. Revenez à la position initiale et inversez la position des jambes. Répétez le mouvement dix fois.

POMPES, UNE JAMBE À L'HORIZONTALE ET UNE JAMBE À LA VERTICALE

79 But de l'exercice

IL TONIFIE LES PECTORAUX, LES MUSCLES DORSO-LOMBAIRES, LES TRICEPS, LES MUSCLES GLUTÉAUX (FESSIERS) ET LES ISCHIO-JAMBIERS.

1. Le bassin et le buste sont en appui sur le ballon. Posez les mains sur le sol et mettez-vous dans la position de départ pour effectuer des pompes.

2. Levez la jambe droite à la verticale et la jambe gauche à l'horizontale sans décoller les hanches.

3. Faites rouler le ballon vers l'avant et fléchissez les coudes pour rapprocher le buste du sol.

4. Faites rouler le ballon vers l'arrière sous la jambe. Inversez la position des jambes et répétez le mouvement dix fois.

EXTENSION DES DEUX JAMBES

80 But de l'exercice

IL TONIFIE LES MUSCLES LOMBAIRES ET LES MUSCLES LE LONG DE LA COLONNE VERTÉBRALE.

1. Le haut des cuisses et le bassin sont collés au ballon. Le buste est incliné en avant. Prenez appui sur les coudes, les avant-bras et les mains.

2. Faites rouler le ballon vers l'avant. Les coudes, les avant-bras et les mains sont sur le sol, les jambes sont tendues, la poitrine ne touche pas le ballon et le dos est étiré. Les muscles glutéaux (fessiers) sont contractés. Revenez à la position initiale et répétez le mouvement cinq fois.

CONFIRMÉ

CISEAUX

81 | But de l'exercice

IL TONIFIE LES MUSCLES GLUTÉAUX (FESSIERS) ET LES ISCHIO-JAMBIERS.

1. Le bassin est en appui sur le sommet du ballon, les coudes, les avant-bras et les mains sont sur le sol. Les poignets sont dans l'alignement des épaules. Les jambes sont tendues.

2. Ouvrez et refermez lentement les jambes dans un mouvement de ciseaux. La colonne vertébrale reste en position neutre et les abdominaux sont contractés. Une fois le mouvement terminé, faites le dos rond comme un chat en colère afin d'étirer le dos et d'inverser la courbure naturelle de la colonne vertébrale. Répétez le mouvement cinq fois.

CURL DES JAMBES

| 82 | But de l'exercice | IL REMUSCLE ET REMONTE LES FESSES. |

1. Les hanches et le ventre sont en appui sur le sommet du ballon. Posez les mains bien à plat sur le sol afin de stabiliser les épaules. Les épaules sont décontractées et éloignées l'une de l'autre. Les bras sont tendus. Il n'y a aucune tension dans la nuque. Les jambes sont tendues.

2. En contractant au maximum les muscles glutéaux (fessiers) et les ischio-jambiers, pliez les jambes et ramenez les pieds au-dessus des fesses afin de décoller au maximum les genoux du ballon.

Maintenez la position quelques secondes.

3. Reposez les deux genoux sur le ballon. Répétez le mouvement cinq fois. Au fil du temps, vous devez réussir à enchaîner une série de dix.

CONFIRMÉ

MOUVEMENTS D'ÉPAULES CIRCULAIRES

83 But de l'exercice

IL ÉTIRE LES ÉPAULES.

1. Les cuisses et le bassin sont en appui sur le ballon. Les jambes sont tendues et écartées de la largeur des hanches. Les bras sont à l'horizontale à la hauteur des épaules ou légèrement plus bas afin que la nuque soit allongée et décontractée.

2. Faites rouler le ballon vers le bras gauche en décollant le buste du ballon et en gardant les bras levés.

3. Revenez à la position initiale et faites rouler le ballon vers le bras droit. Répétez le mouvement cinq fois.

EXTENSIONS ALTERNÉES JAMBES TENDUES

84 But de l'exercice

IL TONIFIE LES FESSIERS, LES BRAS, LE DOS, LES ÉPAULES ET LES ABDOMINAUX.

1. Vous êtes en appui sur le ballon, le corps à l'horizontale — les genoux et les tibias sur le sommet du ballon, les mains posées à plat sur le sol, les bras tendus dans la position de départ des pompes.

2. En gardant les hanches alignées, levez la jambe droite sans fléchir le genou.

3. Revenez à la position initiale, inversez la position des jambes et répétez le mouvement dix fois.

CONFIRMÉ
LA SAUTERELLE

85 But de l'exercice

IL ISOLE ET TONIFIE
LES ISCHIO-JAMBIERS DESSINANT
UNE COURBE SUR LA FACE
POSTÉRIEURE DES CUISSES.

1. Vous êtes allongé sur le ballon, le haut des cuisses légèrement tourné vers l'extérieur et les pieds joints. Les genoux sont ouverts et forment un V. Les coudes, les avant-bras et les mains sont sur le sol.

2. Décollez les genoux du ballon en contractant les muscles glutéaux (fessiers). Ne basculez pas le bassin et ne relevez pas le dos. Maintenez la position quelques secondes.

3. Revenez à la position initiale. Répétez l'exercice cinq fois et entraînez-vous régulièrement afin d'enchaîner une série de dix.

LA NAGE

86 But de l'exercice

IL TONIFIE LES MUSCLES DU DOS ET LES ÉPAULES.

1. Les cuisses, le bassin et le torse sont en appui sur le ballon. Les jambes sont tendues et écartées de la largeur des hanches. Les bras sont tendus.

2. Faites descendre les omoplates vers le bas du dos afin de dégager la nuque. Levez le bras gauche – la paume tournée vers le sol – au niveau de la tête en gardant la nuque allongée. Le bras droit pointe vers le sol mais ne repose pas sur le ballon.

3. Inversez la position des bras. Pendant tout le mouvement, les doigts sont tendus et les épaules restent baissées. Répétez le mouvement cinq fois et entraînez-vous afin d'enchaîner une série de dix.

CONFIRMÉ

POMPES, LES GENOUX EN APPUI SUR LE BALLON

87 | But de l'exercice

IL TONIFIE LE HAUT DU CORPS NOTAMMENT LA POITRINE ET LE DOS, IL RAFFERMIT LES ABDOMINAUX ET LES AUTRES MUSCLES DU CENTRE D'ÉNERGIE.

1. En appui sur le ballon, avancez jusqu'à ce que le bassin soit au-dessus du sol et que les genoux soient au sommet du ballon. Les bras sont tendus dans la position de départ des pompes. Le corps est parfaitement aligné dans la position de la planche. Les bras et les mains sont dans l'alignement des épaules. Les omoplates sont éloignées l'une de l'autre et parfaitement stables.

2. Fléchissez les coudes en veillant à ce que la poitrine se rapproche du sol avant la tête. Redressez-vous et répétez le mouvement huit fois.

POMPES, LES ORTEILS EN APPUI SUR LE BALLON

88 But de l'exercice

IL TONIFIE ET ALLONGE LES MUSCLES DES JAMBES ; IDÉAL POUR AVOIR LES JAMBES GALBÉES DES DANSEUSES !

1. Allongé sur le ballon, avancez jusqu'à ce que le bassin et les cuisses soient au-dessus du sol et que les orteils soient en appui sur le ballon. Repliez les orteils. Les bras sont tendus dans la position de départ des pompes. Les mains sont dans l'alignement des épaules.

2. Fléchissez les coudes en gardant le corps droit et sans faire bouger le ballon.

3. Revenez à la position initiale et répétez le mouvement deux à dix fois selon vos aptitudes..

CHAPITRE 8

Le ballon suisse au service du yoga et de la méthode Pilates

Le yoga et la méthode Pilates sont deux activités qui se suffisent à elles-mêmes. Comme je l'ai dit précédemment, Joseph Pilates n'a jamais mis au point ses exercices dans l'optique de les exécuter avec un ballon suisse. Toutefois, les adeptes de sa méthode et les yogis les plus expérimentés apprécient de travailler avec un ballon suisse afin de rompre la monotonie des exercices classiques et de solliciter plus fortement les différentes parties de leur corps.

Le yoga et la méthode Pilates ont des effets bénéfiques à la fois sur le corps et sur l'esprit qui, pour que chaque exercice soit correctement réalisé, doivent travailler en parfaite symbiose. N'oublions pas que les fondements du yoga reposent non seulement sur l'union du corps et de l'esprit mais également sur la relation entre l'esprit et l'Univers.

Le yoga et la méthode Pilates resserrent le lien entre le corps et l'esprit dans la mesure où a) vous devez vous concentrer sur votre respiration lorsque vous exécutez un mouvement et b) vous devez pour chaque mouvement prendre conscience de votre corps et de ce qu'il ressent ne serait-ce que pour être capable de lever sans vous blesser un haltère de cinq kilos dix fois de suite. Dans l'introduction de ce livre, je me suis longuement attardée sur la méthode Pilates et ses fondements et j'aimerais maintenant prendre une minute ou deux pour vous parler du yoga. L'objectif du yoga n'est pas de vous aider à remodeler votre silhouette – même si une pratique assidue affine, muscle et tonifie le corps –, mais de vous permettre de vous épanouir sur le plan personnel. Je ne peux pas vous promettre que vous y arriverez si vous vous contentez de faire les exercices proposés dans cet ouvrage – je pense même que dans ce cas, vous échouerez –, mais je peux affirmer que si vous vous concentrez sur votre respiration et réussissez à maîtriser vos émotions et à vous débarrasser des pensées parasites, vous vous sentirez mieux dans votre corps et dans votre tête.

Quelle que soit la posture, concentrez-vous sur votre respiration. Inspirez et expirez profondément et régulièrement. Si de nombreuses personnes deviennent adeptes du yoga, c'est parce qu'elles se sentent envahies par le calme et le bien-être lorsqu'elles exécutent une posture et ce, quel que soit le degré de difficulté. Si, à un moment donné, vous ressentez une gêne, respirez profondément, essayez de vous décontracter et de prendre conscience de la manière dont votre corps travaille. Peut-être vous demandez-vous comment un travail corporel débouche-t-il sur un épanouissement personnel ? La réponse est simple : en restant calme et concentré alors que le monde s'agite autour de vous (ou que votre corps est dans une étrange posture), vous atteignez une certaine forme de conscience individuelle et universelle.

Si vous n'arrivez pas à vous isoler du monde qui vous entoure, pas de panique ! N'oubliez jamais que la notion de jugement est totalement étrangère à la pratique du yoga. Peu importe qu'une posture ne soit pas parfaitement exécutée, l'essentiel est de contrôler sa respiration et d'avoir l'esprit en paix. Si vous êtes tendu, essayez de vous décontracter et surtout ne maltraitez pas votre corps mais restez à son écoute.

DÉBUTANT

LA SCIE

89 | **But de l'exercice** | IL TONIFIE LES MUSCLES LOMBAIRES, AMÉLIORE LA POSTURE ET SOULAGE DE NOMBREUSES DOULEURS DORSALES.

1. Vous êtes allongé, le dos en appui sur le ballon, le buste légèrement incliné vers le haut (voir p. 158), les genoux dans l'alignement des hanches, la main droite derrière la tête. Le bras gauche est tendu, les doigts pointent vers le genou droit.

2. Avancez le bras gauche – le mouvement part du bras et non de la taille – pour l'amener au-dessus du bord externe de la cuisse droite. Pendant tout le mouvement, les hanches sont stables et alignées et la cage thoracique est tirée vers la gauche. Inclinez le torse vers l'avant.

3. Revenez à la position initiale.

4. Inversez la position des bras et répétez deux à cinq fois le mouvement selon votre aptitude.

ÉLÉVATION DU BUSTE, JAMBES SURÉLEVÉES

| 90 | But de l'exercice | IL AMÉLIORE LA POSTURE ET TONIFIE LES MUSCLES DU CENTRE D'ÉNERGIE. |

1. Vous êtes allongé sur le sol, les talons en appui sur le ballon, les bras tendus derrière la tête et les genoux fléchis.

2. Faites rouler le ballon vers l'avant en tendant les jambes et en redressant le buste pour prendre appui sur les ischions. Les abdominaux sont contractés, le dos est étiré et les épaules sont baissées.

LE CHAT

91 But de l'exercice

IL DÉCONTRACTE TOTALEMENT LES MUSCLES DU DOS ET LES ABDOMINAUX MAIS ÉGALEMENT LA NUQUE ET LE HAUT DES CUISSES.

1. Vous êtes à genoux sur le sol, le ballon devant vous, les mains posées à plat sur le sommet.

2. Faites rouler le ballon vers l'avant en étirant et en creusant la colonne vertébrale.

3. Ramenez le ballon vers vous en arrondissant le dos.

4. Revenez à la position initiale puis penchez-vous en arrière pour vous étirer. Répétez l'exercice autant de fois que vous le souhaitez.

DÉBUTANT
LE CHAT

EXTENSION DES DEUX JAMBES

92	But de l'exercice

IL TONIFIE TOUS LES MUSCLES DU CORPS.

1. Les cuisses, le bassin et le ventre sont en appui sur le ballon, les bras sont tendus comme dans la position de départ des pompes.

2. Faites rouler le ballon vers l'arrière afin d'avoir les jambes tendues, les orteils en appui sur le ballon, le buste rectiligne des hanches à la tête et les mains dans l'alignement des épaules.

3. Revenez à la position initiale. Entraînez-vous jusqu'à ce que vous puissiez enchaîner le mouvement trois à cinq fois.

CONFIRMÉ
LA CHANDELLE

93 | But de l'exercice

IL TONIFIE LES MUSCLES
DU HAUT DU CORPS,
DÉCONTRACTE LES JAMBES
ET LA NUQUE.

1. Mettez le ballon face à un mur. Faites-le rouler le long du mur et maintenez-le en place avec les pieds. Les genoux sont fléchis.

2. Faites monter le ballon un peu plus haut pour prendre la posture de la chandelle. Les jambes et les bras sont tendus. Les épaules sont collées au sol.

3. Revenez à la position initiale en faisant redescendre le ballon. Ne répétez pas le mouvement plus de deux fois de suite.

LE CYGNE

94 But de l'exercice

IL EST EXCELLENT POUR TONIFIER LES MUSCLES DU CENTRE D'ÉNERGIE ET REMODELER LE BUSTE ET LES HANCHES.

1. Le buste est en appui sur le ballon, les bras sont baissés et les jambes tendues.

2. Contractez les muscles du centre d'énergie, inspirez, redressez le buste et étirez au maximum la tête, la nuque et les épaules. Ne cambrez pas trop le dos afin de ne pas comprimer la colonne vertébrale.

3. Revenez à la position initiale et répétez l'exercice cinq fois.

DESSINER UN « V »
EN POSITION ASSISE

95

1. Vous êtes assis sur le ballon, les mains sous les hanches, les genoux relevés et les talons en appui sur le ballon.

2. Tendez lentement les jambes afin que votre corps dessine un « V ». Maintenez la position le plus longtemps possible en vous concentrant afin de ne pas perdre l'équilibre.

3. Baissez les jambes et posez les pieds à plat sur le sol. Ne répétez pas l'exercice plus de deux fois de suite.

Cet exercice particulièrement difficile s'adresse aux personnes dont les muscles du centre d'énergie sont hypertoniques.

ET EN BONUS
L'ÉQUILIBRE DU CHAT

96 But de l'exercice

FOUS RIRES ASSURÉS !

1. Mettez-vous à quatre pattes sur le ballon dans la position d'un chat.

2. Trouvez votre équilibre.

3. Patatras ! Bon, vous essaierez une autre fois !

Même si je vous présente cet exercice avec humour, sachez que de nombreux danseurs, athlètes et professeurs ne se contentent pas de rester en équilibre sur le ballon mais exécutent des mouvements complexes sur ce support à la stabilité précaire. Une personne dont les muscles du centre d'énergie sont hypertoniques peut parfaitement contrôler son corps et ce, quelle que soit la condition – ce qu'a toujours voulu prouver Joseph Pilates.

CHAPITRE 9

Programmes individualisés

La mise en place d'un programme individualisé repose sur deux facteurs : 1) les objectifs de chacun et 2) la façon d'atteindre ces objectifs (en fait, plus j'y pense et plus je me dis que ces deux facteurs sont également le secret de la réussite). Vous trouverez ci-après dix enchaînements que j'ai mis au point pour vous aider à faire le premier pas. Toutefois, si votre objectif est différent de ceux auxquels j'ai pensé, voici comment vous devez procéder pour concevoir le programme qui VOUS convient :

1. Définissez précisément ce que vous recherchez. Vous pouvez vouloir faire des exercices qui vous prendront quinze minutes par jour et qui seront bénéfiques pour toutes les parties du corps ou vous préférez faire des mouvements qui vous permettront de vous débarrasser de vos kilos superflus.

2. Puis lisez cet ouvrage afin de connaître les bienfaits des différents exercices. Notez sur une feuille de papier les numéros des exercices qui vous semblent correspondre le mieux à vos besoins.

3. Dans un premier temps, identifiez les exercices que vous pourrez pratiquer pour vous échauffer (mouvements simples puis de plus en plus complexes) et vous relaxer (mouvements complexes puis de plus en plus simples). Ensuite, trouvez un enchaînement

logique, par exemple, des exercices en position debout puis en position assise et enfin en position allongée ou des mouvements sollicitant les muscles du haut du corps puis du bas du corps. Pour stimuler plus spécifiquement certains muscles, optez pour plusieurs exercices présentant les mêmes bienfaits.

4. Il est primordial que vous ne fassiez pas travailler vos muscles toujours de la même façon. Au bout de deux semaines, modifiez votre enchaînement en intégrant de nouveaux exercices qui soit sollicitent d'autres muscles, soit font travailler les mêmes muscles mais de manière différente, puis revenez au premier enchaînement. La persévérance et la régularité vous permettront de maîtriser chacun des mouvements et d'obtenir de meilleurs résultats !

SOLLICITER LES MUSCLES DU CENTRE D'ÉNERGIE : SÉANCE DE 15 MINUTES

51
Opposition épaule-genou
(p. 88)

76
Extension du haut du dos,
jambes tendues
(p. 118)

77
Extension du dos, bras
et buste en forme de « T »
(p. 119)

68
Élévations du bassin
(p. 108)

78
Extensions alternées
des jambes
(p. 120)

POUR UN REGAIN D'ÉNERGIE :
SÉANCE DE 15 MINUTES LE MATIN

09
Flexion latérale
(p. 37)

26
Flexions latérales du torse
(p. 58)

94
Le cygne
(p. 140)

11
Dessiner un huit
(p. 39)

12
Fente avant
(p. 40)

14
Torsion du buste en position
de fente, main sur la hanche
(p. 42)

62
Rotation des adducteurs
(p. 101)

32
Étirement du buste –
ballon face à vous
(p. 62)

29
Étirement des ischio-
jambiers
(p. 59)

TONIFIER
TOUTES LES PARTIES DU CORPS

16
Accroupissements
dos au mur
(p. 44)

26
Flexions latérales du torse
(p. 56)

78
Extensions alternées
des jambes
(p. 120)

49
Lever d'haltères en
position allongée sur le dos
(p. 83)

44
Triceps : petits coups contre
le ballon en position assise
(p. 78)

57
Lever et baisser le bassin,
les jambes fléchies
(p. 96)

50
Exercice de préparation
à l'enroulement du tronc
(p. 86)

89
La scie
(p. 134)

91
Le chat
(p. 136)

TOUS NIVEAUX

EXERCICES
D'ASSOUPLISSEMENT

12
Fente avant
(p. 40)

33
Étirement du buste
(p. 63)

30
Flexion latérale du torse
(p. 60)

56
De la position assise
à la position semi-allongée
(p. 95)

92
Extension des deux jambes
(p. 138)

69
Étirement du torse,
jambes levées
(p. 109)

93
La chandelle
(p. 139)

TONIFIER LES MUSCLES DU CENTRE D'ÉNERGIE

56
De la position assise
à la position semi-allongée
(p. 95)

72
Enroulement du tronc, bras
tendus au-dessus de la tête
(p. 112)

73
Le bûcheron
(p. 113)

94
Le cygne
(p. 140)

65
Le pont
(p. 105)

59
Élévation du bassin, les
jambes formant un losange
(p. 98)

60
Lever et baisser le bassin
en faisant rouler le ballon
(p. 99)

81
Ciseaux
(p. 123)

96
L'équilibre du chat
(p. 142)

TOUS NIVEAUX

TONIFIER LES ABDOMINAUX : SÉANCE DE 15 MINUTES

50
Exercice de préparation
à l'enroulement du tronc
(p. 86)

70
Opposition épaule-genou
(p. 110)

52
Enroulement du tronc
à l'envers
(p. 90)

66
Exercice de préparation
à l'enroulement du tronc
(p. 106)

80
Extension des deux jambes
(p. 122)

78
Extensions alternées
des jambes
(p. 120)

85
La sauterelle
(p. 127)

47
Flexion latérale avec
haltère, jambe tendue
(p. 81)

TONIFIER TOUTES LES PARTIES DU CORPS : SÉANCE DE 30 MINUTES

35
Lever vertical des bras
(p. 68)

36
Biceps : curl avec haltères
(p. 70)

46
Lever latéral des épaules
(p. 80)

34
Extension jambe tendue
(p. 64)

17
Grand plié
(p. 45)

23
Triceps : fléchissement
des avant-bras
(p. 51)

47
Flexion latérale avec haltère
(p. 81)

67
Étirement des glutéaux
(p. 107)

91
Le chat
(p. 136)

TOUS NIVEAUX

STIMULER
TOUTES LES PARTIES DU CORPS

19
Fente, le ballon
sur la cuisse
(p. 47)

14
Torsion du buste
en position de fente
(p. 42)

24
Mouvements
circulaires des bras
(p. 52)

43
Flexion latérale
en appui sur le ballon
(p. 77)

45
Rowing, à genoux
sur le ballon
(p. 79)

48
Extension des triceps
sur le ventre
(p. 82)

86
La nage
(p. 128)

87
Pompes, les genoux
sur le ballon
(p. 129)

74
Mouvements circulaires
(p. 114)

71
Opposition bras-jambe
(p. 111)

89
La scie
(p. 134)

POUR UN REGAIN D'ÉNERGIE : SÉANCE DE 10 MINUTES

16
Accroupissements
dos au mur
(p. 44)

20
Les sauts de grenouille
(p. 48)

80
Extension des deux jambes
(p. 122)

39
Biceps : curl, les cuisses
et la poitrine sur le ballon
(p. 73)

40
Battements de bras
en appui sur le côté
(p. 74)

41
Lever vertical des bras, le
dos en appui sur le ballon
(p. 75)

42
Triceps : flexion arrière
des bras
(p. 76)

83
Mouvements d'épaules
circulaires
(p. 125)

CONFIRMÉ

TONIFIER TOUTES LES PARTIES DU CORPS

28
Genoux sur la poitrine
(p. 58)

90
Élévation du buste, jambes
surélevées
(p. 135)

15
Torsion du buste en posi-
tion de fente, bras tendu
(p. 43)

78
Extensions alternées des
jambes
(p. 120)

79
Pompes, une jambe
à l'horizontale et une jambe
à la verticale
(p. 121)

81
Ciseaux
(p. 123)

82
Curl des jambes
(p. 124)

88
Pompes, les orteils en appui
sur le ballon
(p. 130)

53
Torsion du buste, jambes
tendues et surélevées
(p. 92)

ÉTIRER LES MUSCLES DES JAMBES : SÉANCE DE 15 MINUTES

16
Accroupissements
dos au mur
(p. 44)

12
Fente avant
(p. 40)

14
Torsion du buste en position
de fente, main sur la hanche
(p. 42)

68
Élévations du bassin
(p. 108)

60
Lever et baisser le bassin
(p. 99)

62
Rotation des adducteurs
(p. 101)

61
Étirement
des ischio-jambiers
(p. 100)

TONIFIER LES MUSCLES GLUTÉAUX (FESSIERS)

17
Grand plié, départ
en 2ᵉ position
(p. 45)

18
Accroupissements
(p. 46)

20
Les sauts
de grenouille
(p. 48)

68
Élévations du bassin
(p. 108)

59
Élévation du bassin
(p. 98)

82
Curl des jambes
(p. 124)

81
Ciseaux
(p. 123)

79
Pompes, une jambe
à l'horizontale et une jambe
à la verticale
(p. 121)

91
Le chat
(p. 136)

67
Étirement des glutéaux et
des muscles de la hanche
(p. 107)

TOUS NIVEAUX

TONIFIER LES MUSCLES DU DOS : SÉANCE DE 15 MINUTES

08
Étirement
des grands dorsaux
(p. 36)

09
Flexion latérale
(p. 37)

22
Battements de jambe
(p. 50)

25
Flexion latérale du buste
et battements de jambe
(p. 53)

93
La chandelle
(p. 139)

86
La nage
(p. 128)

87
Pompes, les genoux
en appui sur le ballon
(p. 129)

CONFIRMÉ

TONIFIER LES BRAS : SÉANCE DE 15 MINUTES

36
Biceps : curl avec haltères,
une jambe levée
(p. 70)

49
Lever d'haltères en position
allongée sur le dos
(p. 83)

44
Triceps : petits coups
contre le ballon
(p. 78)

45
Rowing, à genoux
(p. 79)

88
Pompes, les orteils en appui
sur le ballon
(p. 130)

43
Flexion latérale en appui
sur le ballon
(p. 77)

35
Lever vertical des bras
(p. 68)

39
Biceps : curl, les cuisses et la
poitrine en appui sur le ballon
(p. 73)

42
Triceps : flexion
arrière des bras
(p. 76)

Glossaire

Bassin d'aplomb :
être assis de manière à ce que
la face antérieure du bassin et les
ischions soient en parfait équilibre
sur le ballon ou le sol. Le buste
n'est ni penché vers l'avant ni tiré
vers l'arrière.

Bassin en position neutre :
le bassin n'est ni projeté vers
l'avant ni tiré vers l'arrière.

**Colonne vertébrale
en position neutre :**
le bas du dos n'est ni projeté
vers l'avant ni tiré vers l'arrière.

Corps incliné vers le bas :
être en position allongée,
les pieds plus hauts que les hanches
ou les hanches plus hautes que
la tête.

Corps incliné vers le haut :
être en position allongée,
la tête plus haute que les hanches
ou les hanches plus hautes
que les pieds.

**Écartement
de la largeur des hanches :**
lorsque les pieds sont directement
sous les os iliaques.

**Muscles
du centre d'énergie :**
les muscles du buste, y compris
les muscles de chaque côté de la
colonne vertébrale, les muscles
dorso-lombaires, les pectoraux
et les abdominaux.

**Position allongée
sur le dos (en) :**
la face postérieure du corps est en
contact avec le ballon ou le sol.

**Position allongée
sur le ventre (en) :**
la face antérieure du corps est en
contact avec le ballon ou le sol.

**Tirer les omoplates
vers le bas :**
faire descendre les omoplates vers
le bas du dos afin de les éloigner
au maximum des oreilles.

Remerciements

La rédaction de cet ouvrage a été le défi le plus grand mais également le projet le plus gratifiant que j'ai mené durant mes vingt ans de carrière professionnelle.

Un grand merci à Holly Schmidt qui a cru en moi et en mes aptitudes et qui m'a choisie pour mener à bien ce projet. Sa présence à mes côtés et son soutien ont su me rassurer et m'ont aidée à surmonter les difficultés qui accompagnent l'écriture d'un premier livre. Holly, tu es une merveilleuse éditrice.

Merci au personnel de Fair Winds et de Rockport Publishers pour l'aide que tous m'ont apportée, notamment à Silke Braun et à Claire MacMaster pour leur connaissance dans le domaine artistique mais aussi pour leur disponibilité. Merci d'avoir veillé à ce que je sois toujours à l'heure pour les séances photos et pour m'avoir aidée à gonfler quantité de ballons ! Merci à Dalyn Miller qui a organisé d'agréables dîners et diverses manifestations pour faire connaître mon travail.

Merci au personnel de Hair Works (Gloucester, Massachusetts) qui a tout fait pour me mettre à mon avantage lors des séances photos. Merci à Allan Penn, photographe de talent. Merci à Bevan Walker pour sa perspicacité. Merci à Brigid Carroll et à Rhiannon Soucy qui ont travaillé sur le manuscrit.

Je tiens à remercier tout particulièrement Donna Raskin pour ses compétences professionnelles en tant que rédactrice mais également pour ses qualités humaines. Je lui sais gré de m'avoir accompagnée tout au long de ce projet, d'avoir su rester à mon écoute et d'avoir été un guide patient et tolérant… si l'occasion se présente, j'accepterai sans aucune hésitation de travailler à nouveau avec elle. Maintenant que tout est rentré dans l'ordre, je peux remercier la société Hill Street Computers qui a accepté de me dépanner un dimanche. Merci notamment à John qui a débarrassé ma machine de sept virus ! Jamais je n'avais été confrontée à ce type de problèmes et je suis sortie grandie de cette expérience.

Un grand merci à tous ceux qui m'ont soutenue et m'ont aidée à m'organiser pour que je mène à bien mon projet sans que mon travail en pâtisse. J'ai toujours accordé beaucoup d'importance au travail d'équipe. Merci à tous les professeurs de l'Insidescoop Studios (New York) qui travaillent avec moi depuis de longues années. Merci à vous Madame la Présidente, notre « Boss Lady » à tous. Sans vous, je n'aurais rien pu faire ! Merci à Angelique Christensen, ma protégée, qui m'a remplacée lorsque j'étais débordée. Merci à Corey Carver et Meghan, pour leur sens de l'organisation. Merci d'être des professeurs et des assistants hors pair.

Merci à Hollis Sloam, à Vivian Legunn, à Cornelia Guest, à Helene Fortunoff, à David Colburn, à Monica Forman, à Hina Tanner, à Mila Kristy Kulsa – qui vient de remporter une médaille d'or en patinage – ce qui prouve l'efficacité de mes exercices avec un ballon suisse pour les hanches – à Caroline

Kuperschmidt et à Shelly Haber. Leurs blessures et leur volonté pour recouvrer la santé m'ont poussée à mettre au point un grand nombre des exercices regroupés dans cet ouvrage.

Merci à Andrea Ambandos qui produit mes vidéos. Merci d'avoir su me protéger et d'avoir réussi à me faire donner le meilleur de moi-même. Merci à Mellissa McNeese pour son excellent travail. Merci à Koch Vision et plus spécialement à Lucille Deane sans laquelle mes dernières vidéos n'auraient pu voir le jour. Merci à Angela Sorti à qui je dois mon nouveau site Internet. Merci à Michael Koch qui a cru en moi et a accepté de produire mes vidéos. Merci à Michelle Rygiel qui m'a donné l'opportunité de réaliser le DVD *Stability Ball for Dummies*.

Merci à Howard Maier qui m'a permis de montrer mes compétences en tant que professeur de la méthode Pilates. Un grand merci à Maître Van Cushny pour ses conseils avisés. Merci également à Maître Al Amadio qui a toujours fait preuve de gentillesse et ce, même dans les situations les plus difficiles. Merci à Jacamo du Shishkabob qui m'a toujours réservé un accueil chaleureux et m'a servi le meilleur houmous qui soit ! Le régime grec marche vraiment. Merci !

Pour finir, je tiens à remercier chaleureusement ma mère, Glory Gillies, qui n'a cessé de me répéter que j'avais un potentiel extraordinaire et qui m'a toujours poussée à donner le meilleur de moi-même. Elle a toujours été là pour se charger des questions administratives au sein de l'Inside-scoop Studios mais également pour s'occuper de ma fille durant mes absences. Merci à Cadence pour être la fille dont rêvent toutes les mères et le soleil de ma vie.

Merci au Dr Geraldine Costa dont l'influence positive m'a toujours donné et me donne encore la force d'affronter mes peurs au quotidien. Merci d'être à la fois mon mentor, l'une de mes meilleures amies, l'une de mes fans et ce, depuis plus de vingt ans. Merci à son mari, le Dr Sydney Cohen, qui s'est inscrit à mon cours et qui a cru en moi alors que je n'étais encore qu'au lycée. Geraldine et Sydney ont été mes deux premiers clients et sans eux je ne connaîtrais certainement pas ce succès qui est le mien aujourd'hui.

The
Alzheimer's
Prevention
Food Guide

The
Alzheimer's
Prevention
Food Guide

{ A Quick Nutritional Reference to
Foods that Nourish and Protect the
Brain from Alzheimer's Disease

SUE STILLMAN LINJA, RDN, LD
SEANNE SAFAII-WAITE, PHD, RDN, LD

**ROCKRIDGE
PRESS**

Design by Debbie Berne

Cover photography: Toma Evsiukova/Stocksy; back cover: Pixel Stories/Stocksy; Joe Pallen; Interior photography: Sara Remington/Stocksy, p.ii; Pixel Stories/Stocksy, p.vi; Julien L Balmer/Stocksy, p.vii; Pixel Stories/Stocksy, p.xiv; DOBRÁNSKA RENÁTA/Stocksy, p.20; Ina Peters/Stocksy, p.38; Darren Muir/Stocksy, p.43; B.&.E.Dudzinski/Stockfood, p.53; etorres/Shutterstock, p.57; AnjelikaGr/Shutterstock, p.67; Alexey Kuzma/Stocksy, p.71; Oliver Wilde/Shutterstock, p.77; Zocky/Stocksy, p.87; Kema Food Culture/Stocksy, p.89; Jeff Wasserman/Stocksy, p.93; Silberkorn/Shutterstock, p.97; Veronika Studer/Stocksy, p.98; Toma Evsiukova/Stocksy, p.128; Sue Stillman Linja, p.176; University of Idaho p.176

ISBN: Print 978-1-62315-908-5 | eBook 978-1-62315-909-2

We dedicate this book to our beautiful mothers,
Sarah Schwartz and Gloria Schuch

Contents

{ Introduction

Two registered dietitian nutritionists. Two daughters of Alzheimer's victims. Two heartfelt stories converge. We hope our voice on prevention will speak for those who no longer can, like our mothers, and will provide knowledge and guidance to others who may be trying to avoid this complex and debilitating disease.

Sue's Story

My mom felt she was put on this earth to feed her family and friends. My siblings and I called it "Italian food torture." Up at the crack of dawn to start the chicken stock, she'd then move on to making sourdough pancakes for six hungry kids. At midnight, she'd still be up, folding laundry or making homemade pasta. My

mom rarely slept. Always with a smile on her face, she cooked and cleaned and loved and dreamed, but she rarely slept.

Did her lifestyle, including the lack of consistent sleep, contribute to the devastating disease that turned my sweet, smiling mom into someone I didn't recognize? Or could it have been the slow change from the Mediterranean-style diet of her childhood (which included lots of olive oil, vegetables, and very little meat) to a Western diet that satisfied my dad's desire for meat and rich foods?

Either way, my mom is no longer with us. Alzheimer's disease shattered her dreams and stole the life she knew. My mom died bearing no resemblance to her former self, except perhaps her beaming smile.

SeAnne's Story

I remember my father telling me one day that I needed to watch my mom closely because something wasn't right. "She keeps forgetting things," he said. "She left the stove on yesterday." I brushed this off as simple forgetfulness. After all, I too am forgetful at times.

We had no history of dementia or Alzheimer's disease in our family, so I really wasn't worried. Yet within a year I started noticing her inability to carry on deep conversations, her occasional blank looks, and her complaints of getting mixed up a lot.

One day my mom went out on her daily walk and wound up several neighborhoods away, exhausted, dehydrated, and lost. Similar occurrences took place after that. Eventually, we placed her in a memory care facility, where she still resides today. This once-athletic, happy, and loving woman had become agitated, angry, confused and, at times, catatonic. She is not yet gone, but I miss her.

Our experiences are personal, but unfortunately they are not unique to us. Alzheimer's disease statistics in the United States are staggering: According to the Alzheimer's Association, about 5.4 million Americans are living with the disease, and this number is on the rise. Today, one in three seniors dies with Alzheimer's or dementia, and although deaths from other major diseases have decreased significantly in the last decade, Alzheimer's deaths have increased by 71 percent. Given that there is not a cure for Alzheimer's, medical communities are looking to prevention to slow down these alarming increases. Exercise, diet, and brain activities all show great preventive promise. In light of our interests and expertise, this book dives exclusively into the food, nutrition, and diet component. Although diet is important for all types of dementia, this guide focuses on the prevention of Alzheimer's disease.

Food as medicine has been an important doctrine in countries and cultures around the globe for centuries. A nutritious diet can not only help prevent chronic disease, but is often used as a treatment for disease. We know, too, that unhealthy diets can have devastating effects on the human body. They can exponentially shorten lives and are the root cause of many common diseases.

This is the first and only detailed food guide written to assist you with making brain-healthy dietary alterations and incorporating mind-nourishing foods into your diet—all without making drastic changes. This guide will modify the way you think about the foods you eat and give you ways to fortify your brain. You will learn

- why diet can protect against Alzheimer's disease.
- how healthy and unhealthy foods affect your brain.

- which foods—more than 100 of them—you can incorporate into your diet, and why they are beneficial.
- how easy it is to add brain-healthy foods to your daily meal plan.

As dietitians and researchers, we have spent a great deal of time investigating the links between diet and Alzheimer's disease. Cutting-edge research continues to explore the fascinating science behind nutrition and cognition, and further exploration will result in even more compelling dietary recommendations. For now, this guide can be used by those of you who are interested in promoting a healthy brain and preventing or delaying cognitive decline as you age. Please join us on our journey to marry nutrition science and optimism in the prevention of Alzheimer's disease.

Alzheimer's Basics

The brain is the most complicated system in the body, connecting every organ and function necessary to live. The frontal and temporal lobes of the cerebrum and the limbic system house memory. In conjunction with the neurons and neurotransmitters, the brain's communication mechanism enables a healthy body to move, think, speak, and feel. A control center for the rest of the body, the brain is not easily understood or simply explained.

Your brain is always "on," whether you are awake or asleep. And since it is running, it needs the proper mix of nutrients all the time, day and night. To use an analogy, the brain is like an aircraft. While an aircraft can run on simple car gas, it needs specialized lubricants, fluids, and gasoline to work efficiently. Your brain is like the aircraft; it needs a variety of nutrients to function effectively. An airplane *can* run on car gasoline and your brain *can* function when you eat unhealthy foods. But in the long term, in either scenario, the wrong fuel can have serious negative effects, resulting in deterioration of the system.

If your brain lacks the nutrients it needs to complete its complicated functions, like the aircraft running on car fuel, it will falter.

Alzheimer's disease disrupts critical metabolic pathways in the brain. Researchers have found that the damage in the brain of someone with Alzheimer's begins about a decade before symptoms appear. As the disease progresses, leading to the outward symptoms of Alzheimer's, the brain starts to show deposits of proteins known as amyloid plaques and tau protein tangles. With the increase of these deposits, once-healthy neurons in the brain die. Brain tissue and function is damaged, and the brain shrinks significantly.

Alzheimer's and Dementia

Alzheimer's disease is a nonreversible brain disorder that develops slowly and progresses to the point of completely diminished short-term memory and total debilitation. Many people use the terms *dementia* and *Alzheimer's* interchangeably, but in fact they are not the same.

Dementia is the overarching term for the loss of brain function including reasoning, thinking, and recall.

Alzheimer's disease accounts for 60 to 80 percent of all dementia cases, according to the Alzheimer's Association. While there are many different types of dementia, Alzheimer's disease is by far the most common.

There are two diagnostic stages of Alzheimer's:

Mild cognitive impairment (MCI) due to Alzheimer's disease, where cognitive decline is greater than expected given a person's age and education but does not significantly interfere with everyday activities.

Dementia due to Alzheimer's disease, which is characterized by noticeable cognition symptoms that impair a person's ability to function in daily life.

There is also a preclinical stage, which a person can be in before symptoms such as memory loss develop. Due to the lack of symptoms, an individual cannot know if he or she is in a preclinical phase. Researchers are just beginning to study the preclinical brain thanks to individuals who volunteer to be research subjects. These people have no symptoms but suspect (for one reason or another) that they might be at risk of developing Alzheimer's.

Inflammation and the Brain

When the body's immune system attacks things it doesn't recognize, such as bacteria, plant pollen, or specific chemicals, it
responds with inflammation. This is your body's way of protecting
itself. When inflammation persists day in and day out, however,
it becomes the enemy.

Inflammation in the brain plays a major role in the progression of Alzheimer's disease. One of the markers for inflammation
in the body is a non-protein amino acid called homocysteine.
The risk of developing Alzheimer's is strongly linked to your
level of homocysteine. The lower your level of it throughout life,
the lower your risk of developing serious memory decline. High
levels of homocysteine can damage the medial temporal lobe—
the area of the brain that rapidly degenerates in Alzheimer's
disease. Homocysteine testing is simple and can be done at the
doctor's office.

One of the most powerful tools to combat inflammation comes
from the grocery store. Homocysteine levels tend to be higher in
people whose diets are high in animal protein. Diets that resemble
the Mediterranean diet—those high in vegetables, fruits, nuts,
fatty fish, olive oil, whole grains, and beans—help the body reduce
homocysteine levels. Consuming foods high in folic acid and other
B vitamins may also lower homocysteine levels.

There are particular vegetables and fruits (discussed further
in later chapters) that are naturally high in antioxidants and compounds called polyphenols, which provide brain protection. The
range of colors we see in produce is from polyphenols. Beyond
imparting the red to strawberries and the orange to carrots, polyphenols perform the most important work of protecting plants

from disease and other environmental threats. They are a type of *phytochemical* (active chemical compound) found in plant foods such as spices, fruits, vegetables, seeds, and legumes. Recently, polyphenols have been getting more attention as scientists have uncovered their antioxidant properties and their potential protective and curative effect on inflammation, chronic disease, and life-threatening human illnesses. They may provide significant protection against neurodegenerative diseases such as Alzheimer's and dementia. Here is a visual guide to fruits and vegetables by color and phytochemical.

Color	Brain-Friendly Produce	Phytochemicals
Red	Beets, cherries, pomegranate, raspberries, red bell pepper, strawberries, tomatoes	Anthocyanins, flavonoids, fiber, carotenoids
Orange and Yellow	Apricots, carrots, citrus, pumpkins, sweet potatoes, turmeric, winter squash	Anthocyanins, carotenoids, fiber, flavonoids, curcumin
Green	Arugula, beet greens, chard, collard greens, dandelion greens, kale, mint, napa cabbage, spinach, thyme	Anthocyanins, apigenin, carotenoids, chlorophyll, flavonoids, isoflavones, insoles, luteolin
Blue and Purple	blueberries, blackberries, cherries, eggplant, plums, grapes	Anthocyanins, catechins, flavonoids, kaempferols, lignans, fiber, quercetins, resveratrol

The Gut–Brain Axis

You might be surprised to learn that your gut is not the same thing as your stomach. In fact, the gut, or the gastrointestinal (GI) tract, stretches all the way from the mouth to the anus. The gut and the brain are connected physically and chemically, and the connection is a two-way street. For example, when stress affects your brain and your emotions, it can cause diarrhea or stomach upset. Likewise, when your stomach or bowels are upset, that may result in emotional distress.

The gut–brain relationship occurs through the central nervous system and gut microbes (tens of trillions of microorganisms and bacteria, many of which are beneficial) in your intestines. Many of these bacteria produce brain-altering substances that can influence the brain and central nervous system by controlling inflammation and hormone production.

An altered microbe population in the gut has been observed in people with Alzheimer's. Two of the key features of Alzheimer's are the development of:

- **amyloidosis,** which is the accumulation of amyloid-ß (Aß) peptides in the brain
- **inflammation of the microglia,** brain cells that perform immune system functions in the central nervous system

The buildup of these peptides into plaques plays a central role in the onset of Alzheimer's, while the severity of inflammation in the brain is believed to influence the rate of cognitive decline. In a healthy diet, certain probiotics (helpful bacteria) may reduce amyloidosis and inflammation; research continues in this area.

This chapter provides basic information about Alzheimer's disease, nutrition, and the disease–diet connection. The knowledge you gain here can be powerful as you start to understand your personal risks and begin the development of a prevention plan. The next chapter will review popular brain-healthy diets and provide recommendations for types and amounts of foods to include in your personalized brain-enhancing eating plan.

Chapter 2
Brain-Boosting Diets in Perspective

Poor nutritional habits have been linked to reduced brain function. For this reason, several diets have been promoted for their positive effects on the brain and for decreasing the risk factors that can lead to the development of Alzheimer's disease. This chapter will look at some of the most popular diets, the evidence-based research behind them, and our dietary recommendations based upon this research.

Evidence-Based Diets for Brain Health

There are three diets in particular that have received significant press for their Alzheimer's prevention benefits. We briefly review them here, as well as discuss their commonalities and differences.

The Mediterranean Diet

The Mediterranean diet is a modern diet introduced in the 1940s to prevent heart disease. It is based on the dietary patterns of Italy, Greece, and Spain.

The Mediterranean diet may improve cholesterol and blood sugar levels and overall blood vessel health—all factors that have been linked to slowing the rate of cognitive decline, reducing the risk of mild cognitive impairment, and reducing the overall risk of dementia. Recent studies suggest that the Mediterranean diet may function to protect the brain from shrinking. Another study goes so far as to predict that following a Mediterranean diet closely could reduce the likelihood of developing Alzheimer's disease by 54 percent.

The Mediterranean diet guidelines recommend that we eat the following:

- healthy fats like olive oil and the elimination of unhealthy fat sources like butter and margarine
- herbs and spices more often in place of salt, to reduce sodium intake
- primarily plant-based foods such as vegetables, fruits, whole grains, legumes, and nuts
- fish and poultry a few times per week
- moderate amounts of dairy products (mostly as cheese and yogurt)
- red meat no more than a couple of times per month

Dining with others is also encouraged, which fits well with the (optional) recommendation to enjoy a glass of red wine each day.

The MIND Diet

MIND is an acronym for Mediterranean-DASH Intervention for Neurodegenerative Delay. The MIND diet was developed by researchers at the Rush University Medical Center in 2015 following research published in 2014 and 2015. The diet is a combination of the DASH (Dietary Approaches to Stop Hypertension) and Mediterranean diets. The Mediterranean diet was discussed on the previous page. The DASH diet is a lifelong eating approach to prevent and treat high blood pressure (hypertension). DASH is a low-sodium diet that focuses on vegetables, fruits, and low-fat dairy foods and includes moderate amounts of whole grains, fish, poultry, and nuts. The MIND diet singles out foods from both the Mediterranean and DASH diets that are specifically beneficial for brain health.

The MIND diet has been used in a few studies to specifically show its effects on Alzheimer's and brain function. One Rush University study concluded that the MIND diet, when followed closely, lowered the risk of Alzheimer's disease by 53 percent compared to the DASH diet, which lowered risk by 39 percent. Even when the MIND diet was not strictly followed, it lowered the risk of Alzheimer's by 35 percent.

The 10 healthy brain foods outlined in the MIND diet contain many antioxidants and healthy fatty acids: green leafy vegetables, all other vegetables, nuts, berries, beans, whole grains, fish, poultry, olive oil, and wine.

Additionally, there are five unhealthy-brain food groups: red meat, butter or margarine, cheese, pastries and sweets, and fried or fast foods. Consuming these foods is discouraged.

The MIND Diet guidelines recommend that we eat the following:

- at least three servings of whole grains per day
- one salad and at least one other vegetable per day
- at least one serving of beans and one of nuts per day
- at least two servings of poultry per week
- one serving of fish per week
- at least two servings of berries a week

The MIND diet also encourages drinking a glass of red or white wine per day.

The Ketogenic Diet

The ketogenic diet was developed in the 1920s and has been used primarily to treat epilepsy and certain metabolic conditions identified at birth. More recently, it has regained attention as a diet to promote weight loss and continues to be studied for its link to exercise performance, insulin sensitivity, and other health conditions. The diet is very restricted in carbohydrates and therefore can be challenging to follow long term.

The ketogenic diet shows some promise related to insulin sensitivity, glucose tolerance, inflammation reduction, and a reduction of damaging protein plaques. However, evidence-based research is limited and currently inconclusive regarding the ketogenic diet's effect on Alzheimer's risk. Ketosis, a process where the body burns fat instead of carbohydrates for energy, does not occur if the diet is not strictly followed.

This diet plan promotes 70 to 90 percent fat consumption and extremely limited carbohydrate intake—only 20 to 50 grams per day (1 large banana contains about 30 grams of carbohydrates, for

example). Since the consumption of carbohydrates is limited, the diet is centered on eating the following:

- foods that are very high in fat, such as meat, cheese, butter and cream, fatty fish, eggs, nuts, and seeds
- very low-carbohydrate vegetables

Fruit, grains, and legumes are excluded from the diet. Since the macronutrient distribution of this diet is significantly restricted, risks of nutritional deficiency exist and supplements are required. Special attention should be paid to fiber, calcium, iron, folic acid, and vitamin D.

For these reasons and until further evidence-based research exists, we do not recommend following the ketogenic diet to promote brain health.

The Common Links

The Mediterranean and MIND diets are both plant-based, and both recommend significant consumption of vegetables, fruits, legumes, beans, and whole grains. Similar to the Mediterranean diet, the MIND diet encourages poultry at least twice per week and fish once per week. Both diets allow for an abundance of low-carbohydrate vegetables as well as nuts and seeds. All three diets allow wine consumption, with the ketogenic diet restricting use within daily total carbohydrate parameters. All of these diets restrict high-sugar foods, which can cause higher insulin levels and lead to inflammation in brain tissue, resulting in the brain secreting the damaging beta amyloid linked to Alzheimer's disease. Each diet can also be relatively low calorie, depending upon serving sizes.

Alternative Brain Fuel

Glucose (from carbohydrates) is the body's favorite form of fuel to burn for energy. If carbohydrates are taken out of the diet or severely restricted, the brain must use an alternative fuel source in order to function properly. This process, called ketogenesis, converts fat to that new fuel source—ketones—to be used for energy.

The extremely low-carbohydrate ketogenic diet has been successfully used to treat epilepsy for years. Research is underway to assess the benefit of the ketogenic diet (and variations of the traditional diet) in other diseases such as Alzheimer's, but the only testing done by the end of 2016 has been uncontrolled studies, observation studies, and anecdotal evidence.

Although the mechanisms for future research studies are not yet defined, researchers will be looking at a few leads for how using ketones as a fuel source may help combat Alzheimer's:

- Brown University neuropathologists identified the brain's inability to effectively utilize glucose in the brains of people with cognitive loss (implying improvements in brain function with ketones as the fuel source), and they have pegged Alzheimer's as type 3 diabetes.
- Animal models show ketone bodies have an antioxidant effect and reduce inflammation. Even when a very low-carbohydrate diet was combined with saturated fats, there was a decrease in harmful protein deposits in the brain.
- Some reported improvements in memory and brain function have been reported in both animals and humans following implementation of a ketogenic diet.

Dietary Differences

The following chart shows the main differences in the diets.

	Mediterranean Diet	MIND Diet	Ketogenic Diet
Primary goal	Prevention of chronic disease (cardiovascular and other) and increased longevity	Prevention of cognitive decline	Treatment of epilepsy and certain metabolic conditions; now popular for weight loss
Vegetables	3 to 4 servings or more daily	Vegetables encouraged and at least one leafy green salad daily	Very low-carb vegetables allowed within daily carb intake levels
Fruit	Encouraged—consumed as dessert or snacks	Berries encouraged	Not allowed, except berries allowed within daily carb intake levels
Whole grains, legumes, and nuts	Encouraged	Encouraged	No whole grains or legumes allowed; nuts encouraged
Meats	Red meat rarely; poultry and eggs allowed in moderation	Poultry allowed	All meats allowed, including high-fat and processed
Fish	2 or more servings per week	At least one serving per week	Fatty fishes encouraged
Olive oil	Daily use recommended; use as primary fat	Daily use recommended; use as primary fat	Recommended
Butter and margarine	Small amounts of butter allowed; margarine discouraged	Discouraged; less than 1 tablespoon daily	All fats allowed and encouraged
Dairy products	Cheese and yogurt allowed in moderation	Cheese and yogurt allowed in moderation	Allowed within daily carb intake levels
Red wine	Moderate consumption: no more than 1 glass daily for women and 2 for men	1 glass a day allowed	Allowed within daily carb intake levels

According to the Rush University study, people with a higher intake of MIND foods showed slower cognitive decline compared to those on the Mediterranean diet, even though the Mediterranean diet slowed the decline as well. Evidence-based research shows that diets promoting antioxidants, phytochemicals, and omega-3 fatty acids increase brain health. The ketogenic diet's impact on Alzheimer's disease is still being researched.

Putting It All Together

The following food categories and serving recommendations have been established to help guide you in the types and amounts of brain-healthy foods to eat each day. It is important to note that foods excluded from this guidebook may not be unhealthy or harmful but rather are either too numerous to include (as in the case of hundreds of different vegetables and fruits from around the world) or not supported by scientific research.

A good "rule of brain" is to fill at least three-quarters of your plate with brain-nourishing leafy greens and other colorful vegetables, fruits, legumes, and whole grains. The remaining quarter of your plate can include fish or protein alternatives, nuts, seeds, healthy extras, and occasionally a favorite food not considered brain nourishing. Fresh, local, organic, and in-season foods often provide the highest nutrient content and lowest risk of contaminants; however, it is better to eat the foods from this guide in any form rather than not at all.

Spices/Herbs

While spices and herbs have been used for health purposes for centuries, today's consumers are generally unfamiliar with many of them, and spice shelves across America—both in homes and in grocery stores—are cluttered with bottles of who-knows-how-old spices. All spices and herbs originate from roots, fruits, flowers, seeds, barks, or leaves and are high in an array of vitamins, minerals, and antioxidants. Those reviewed in this guidebook are just an introduction to the numerous spices and herbs that are worth revisiting as we search for clues to the prevention of Alzheimer's disease. Consider growing your own herb garden or drying your own spices to have the freshest access year-round.

Recommended servings
Ditch the salt shaker and consider using at least one brain-healthy spice or herb at every meal.

What is a serving size?
Recommended amounts are not available. Chop, zest, sprinkle, and use according to your taste. As a general rule, use three times the amount of fresh versus dried herbs.

Leafy Greens

What's not to love about leafy greens? These vegetables are perhaps the least controversial food in existence, with an overabundance of healthy components to improve brain health. While all leafy greens are healthy, in this guidebook we have included a few of the most nutritious. Low in calories, they are chock-full of flavor in addition to fiber; folic acid; vitamins A, C, and K; magnesium; potassium; and a host of phytochemicals, all of which have been studied

cook from dry legumes preserves the most nutrients. The legumes reviewed in this guidebook contribute to brain nourishment and reduce inflammation due to their super high amounts of phyto-chemicals with antioxidant properties.

Recommended servings
One serving daily is ideal, with a minimum of three to four servings per week
What is a serving size?
½ cup cooked

Whole Grains

We would like to introduce you to a variety of whole grains in this category, some of which are eaten more routinely in countries with lower incidence of Alzheimer's disease. Unlike refined grains, which have been stripped of their bran and germ, whole grains are just as they sound: whole. With all of their parts intact, whole grains are a great source of the powerful antioxidant vitamin E, as well as many B vitamins, magnesium, selenium, and a significant amount of fiber. Impressive research has identified a much lower early death rate among individuals who eat a significant amount (two to six servings a day) of whole grains.

Recommended servings
At least three servings daily
What is a serving size?
½ cup cooked grains or 1 ounce whole grain equivalent (see choosemyplate.gov/grains for suggestions)

Nuts and Seeds

Eating a handful of nuts and/or seeds a day might just be the ticket to keeping your brain healthy. Tree nuts and seeds from a variety of sources are counted in this category. (Peanuts are actually a legume, so you will find them in that grouping of foods.) The fiber, protein, and fat in nuts and seeds provide a feeling of fullness, which may help prevent overeating and obesity. The components of nuts and seeds also lower total cholesterol and LDLs (the harmful form of cholesterol), which in turn reduces the risk of Alzheimer's disease. Some varieties of nuts and seeds are higher in omega-3 fatty acids than others, while some are higher in antioxidant-rich vitamin E, and still others are higher in selenium, an important nutrient in brain communication.

> **Recommended servings**
> At least one serving daily
> **What is a serving size?**
> ¼ cup nuts, 1½ tablespoons nut butter, 2 tablespoons seeds, or 1 ounce equivalent (see choosemyplate.gov/protein-foods)

Oils

The two oils recommended in this category—extra-virgin olive oil and coconut oil—are very different in their chemical makeup and also the ways in which they may be helpful to the brain and Alzheimer's prevention. While extra-virgin olive oil (a monounsaturated fatty acid) has been studied extensively in relationship to inflammation, cell regeneration, and potential reduction in Alzheimer's disease, the role of coconut oil is still in its research infancy. In theory, it is thought that coconut oil, a saturated fat, may provide an alternative energy source to the brain. This would result

Meat and Dairy

Meat—chicken, turkey, beef, pork, and lamb—as well as many dairy foods not listed in this guidebook can fit into your meal plan. Independently, these foods do not have the nutritional profile to make the cut as brain-healthy foods, mostly due to their high amounts of saturated fat. However, they contribute essential nutrients to the diet and can fit nicely into a food plan that will nourish your brain.

In addition to being a great source of protein, meat and dairy foods provide a significant source of homocysteine-lowering vitamin B_{12}. Studies show that when B vitamin–rich foods are combined with omega-3 fatty acids, improved memory function and less brain shrinkage results. This helps support the consumption of fatty fish, nuts, and seeds as a main protein source for those wishing to promote brain health. Controlling portion sizes, using meat and dairy foods as a flavoring versus making them the center of the plate, and combining them with vegetables, legumes, and herbs may just be the winning combination for those who wish to nourish their brains for the long-term. See chapter 4 for ways to incorporate animal proteins in your meal plan.

Evidence-Based Brain Food

While this chart is by no means comprehensive, it should help you get a good start on stocking your kitchen and filling your plate with foods that the evidence has shown to be healthy for the brain.

Spices	Cacao, cardamom, ginger, mint, turmeric
Leafy Greens	Arugula, collard greens, kale, spinach, watercress
Other Vegetables	Beets, broccoli, Brussels sprouts, garlic, red cabbage, winter squash
Fruit	Berries, cherries, citrus, grapes, pomegranates
Legumes	Beans, black-eyed peas, lentils, peanuts, soybeans
Whole Grains	Barley, brown rice, buckwheat, farro, oats
Nuts/Seeds	Almonds, chia seeds, flaxseeds, pistachios, walnuts
Oils	Extra-virgin olive oil, coconut oil
Proteins	Eggs, salmon, tofu, trout, whitefish
Fermented Foods	Kefir, miso, red wine, sauerkraut, yogurt
Others	Coffee, green tea, seaweed

Chapter 3
Foods that Nourish and Protect the Brain

Our message for Alzheimer's prevention is simple: Eat more brain foods. The more than 100 recommended foods in this guide have been compiled from multiple studies published in the United States and other countries, all of which are listed in the book's bibliography. While there is no one diet or food proven to prevent Alzheimer's disease, there is evidence, as noted in chapters 1 and 2, that diet may decrease the risk of developing Alzheimer's. What we *can* say with certainty is that the foods in this guide contain properties that are beneficial to healthy brain function. When combined into a generally healthy diet, they have great promise for preserving brain health over the years. Chapter 4 will show you how to move from knowing about these foods to incorporating them into a healthy diet.

For a quick scan of the more than 100 brain foods profiled in this chapter, see the table on page 46. This chapter offers profiles of each of these foods, organized by the categories we outlined in chapter 2. Each brain food listed has mind-health attributes and studies supporting its connection to Alzheimer's prevention. A brief description of the nutrients, associated research, and ways in which the food promotes the health of the brain is included.

Each brain food profile also notes one or more contributions the food makes toward brain health; these contributions are categorized into the following 11 areas:

- Anti-inflammatory
- Cell regeneration
- Nerve growth
- Brain response time
- Memory
- Reasoning
- Cognitive function
- Mental clarity
- Sleep enhancement
- Concentration (focus)
- Nerve function

In addition, you will find more in-depth features on 10 of the foods. These 10 deserve special recognition for their role as brain-health powerhouses. While some foods profiled in this chapter will be familiar, a few may not. We hope you will give each and every one of them a try!

SPICES AND HERBS

Basil

This highly fragrant herb has been used in Mediterranean cuisine for centuries. Basil has strong antioxidant properties and an enzyme-inhibiting effect that qualifies it as a great anti-inflammatory food. One teaspoon of dried basil is thought to have the equivalent antioxidant potency to a cup of nourishing sweet potatoes. To get the most from its strong flavors, plentiful anti-oxidants, and vitamins A, C, and K, try using fresh basil in salads and vinaigrettes.

* Anti-inflammatory   * Cognitive function

Black Pepper

Black pepper may be the second most utilized spice in US kitchens, right behind its less nourishing partner, salt. The active ingredient in black pepper, piperine, has been shown to improve cognitive function (attention and focus) in the brain. Black pepper also lends a helping hand to the brain-powerhouse spice turmeric. When consumed together, piperine has been found to enhance the absorption of curcumin (turmeric's brain booster) by 2,000 percent.

* Anti-inflammatory   * Cognitive function   * Concentration

Cacao

Chocolate is made from cacao beans. The darker the chocolate (more cacao), the higher the antioxidant content; the higher the antioxidants, the lower the risk of brain and dementia issues. Various studies have shown that consuming a cacao beverage daily for a month was associated with significant improvements in

cognitive function and blood flow in the brain. This is due to the high level of flavonols in dark chocolate. For more information on this powerful brain food, see the next page.

- Anti-inflammatory
- Cognitive function
- Nerve function

Cardamom

This spice is a relative of ginger and turmeric and has antioxidant properties that help protect brain cells from free radical damage. It also contains B vitamins, which may boost energy and recall. For a new twist to old favorites, add it to baked goods, tea or coffee, stews, and curries.

- Anti-inflammatory
- Memory
- Nerve function

Chamomile

Chamomile is the common name for several daisy-like plants often used in herbal infusions such as tea. Chamomile contains luteolin, a flavonoid that has been found to improve brain function in the hippocampus area of the brain—the center for memory and learning. Chamomile blends well with licorice or mint for a double brain boost.

- Anti-inflammatory
- Cognitive function
- Memory
- Sleep enhancement

Cilantro

Also known as coriander or Chinese parsley, cilantro is a flavorful herb that adds zest to many Mexican and Thai dishes. It pairs especially well with eggs, fish, and beans. Cilantro is thought to have antioxidant and lipid-lowering effects. It is high in vitamins A and K and contains an enzyme to help break down complex

Cacao

Does dark chocolate provide a sweet treat for your brain? Indeed! All chocolate comes from cacao (or cocoa) beans. In its raw form, cacao is the purest form of chocolate you can consume. Not just any chocolate will do for your brain, though. Milk chocolate contains less cacao by weight than does dark chocolate. The process by which dark chocolate is changed to milk chocolate can lower the amount of brain-nourishing flavonols by 60 to 90 percent.

- Limited clinical trials show an improvement in attention, cognitive function, and memory with the consumption of cacao flavonols (antioxidant compounds found in cacao). One Harvard study found that people who drank two cups of a hot chocolate drink a day had improved memory and blood flow to the brain.

- Cacao is much less processed than cocoa powder or chocolate bars, and because of this, it is chock-full of antioxidants. Cacao also contains the brain-healthy nutrients potassium and magnesium.

Consuming a dark chocolate cocoa drink or a snack with cacao in it may not only be beneficial to reduce your risk of Alzheimer's disease but may also satisfy your sweet tooth. Try adding it to pudding and granola bars or sprinkle it over fruit.

When selecting chocolate, choose 85 percent cocoa or more—the darker the chocolate, the better it is for your brain.

carbohydrates—all of which are significant for brain health. Cilantro is one of several herbs able to retain their strong anti-oxidant capacity even when dried.

• Anti-inflammatory　　• Nerve function

Cinnamon

This ancient spice may hold some secrets to Alzheimer's prevention. Besides delivering anti-inflammatory benefits, cinnamon also contains compounds thought to improve communication between brain cells as well as interfere with the buildup of damaging tau proteins in the brain. Cinnamon is linked to lowered blood sugars and reduced heart disease risk factors, and provides a plethora of other impressive health benefits.

• Anti-inflammatory　　• Memory　　• Concentration

Cumin

After black pepper, cumin is the most commonly used spice in the world (excluding the United States) and is widely used in countries with low Alzheimer's rates. It is a wonderful addition to curry powder and is delicious in Mexican or Middle Eastern dishes. Cumin is a good source of magnesium, and it shows promise in boosting learning capacity in the brain and preventing cognitive decline.

• Cognitive function　　• Memory　　• Concentration

Ginger

Popular in Asian and Indian cuisines, this sweet-spicy root is a common home remedy for nausea but also shows amazing promise

in dementia prevention. It is both a potent anti-inflammatory and antioxidant, making it a very effective food for preventing Alzheimer's disease. Ginger has been shown to provide some protection against the buildup of beta-amyloid proteins in the brain. It can easily be incorporated into the diet through seasonings, salad dressings, or even brewed into tea.

* Anti-inflammatory   * Memory

Horseradish

This potent root has multiple qualities that make it a great brain food. Horseradish contains dietary fiber, vitamin C, folate and other B vitamins, and antioxidants. Certain active compounds found in horseradish have anti-inflammatory and nerve-soothing effects. The hot, sharp flavor of this root pairs well with fish, seafood, leafy greens, and tomatoes.

* Anti-inflammatory   * Nerve function

Lavender

Lavender creates a calming and soporific effect, which can improve sleep patterns, an important factor in the prevention of Alzheimer's disease. Its anti-inflammatory effect has a positive impact on blood pressure reduction. While lavender has been studied mostly as an essential oil, it has started to gain popularity in the United States as a cooking ingredient—used as an infusion in drinks and desserts or mixed with other brain-powerhouse spices like rosemary and thyme in herbes de Provence.

* Anti-inflammatory   * Sleep enhancement

Brain Foods by Category

Spices and Herbs

Basil	Cilantro	Lavender	Rosemary
Black Pepper	Cinnamon	Licorice	Sage
Cacao	Cumin	Mint	Thyme
Cardamom	Ginger	Nutmeg	Turmeric
Chamomile	Horseradish	Parsley	Wasabi

Leafy Greens

Arugula	Collard Greens	Kale	Spinach
Beet Greens	Dandelion Greens	Napa Cabbage	Watercress
Chard			

Other Vegetables

Artichokes	Cauliflower	Leeks	Shiitake
Asparagus	Chile Peppers	Okra	Mushrooms
Avocados	Cucumbers	Onions	Sweet Potatoes
Beets	Eggplant	Potatoes	Tomatoes
Broccoli	Garlic	Pumpkins	Winter Squash
Brussels Sprouts	Jicama	Red Bell Peppers	Yams
Carrots	Kohlrabi	Red Cabbage	Zucchini

Fruit

Apricots	–Cranberries	Cherries	Melons
Berries:	–Marionberries	Citrus	Plantains
–Blackberries	–Raspberries	Grapes	Plums
–Blueberries	–Strawberries	Mangos	Pomegranates

Legumes

Beans	Garbanzo Beans	Lentils	Peanuts
Black-Eyed Peas	(Chickpeas)	Mung Beans	Soybeans

Whole Grains

Amaranth	Buckwheat	Millet	Spelt
Barley	Bulgur	Oats	Wheat Germ
Brown Rice	Farro		

Nuts/Seeds

Almonds	Flaxseeds	Pecans	Pumpkin Seeds
Chia Seeds	Hazelnuts	Pistachios	Walnuts

Oils

Coconut Oil	Extra-Virgin Olive Oil

Proteins

Eggs	–Butterfish	–Herring	–Tuna
Fish:	–Carp	–Lake Trout	–Whitefish
–American Shad	–Chilean Sea Bass	–Mackerel	–Wild Salmon
–Anchovies	–Eel	–Sablefish	Tofu
		–Sardines	

Fermented Foods

Apple Cider Vinegar	Craft Beer	Miso	Sauerkraut
	Kefir	Red Wine	Yogurt

Other

Coffee	Green Tea	Seaweed

Licorice

Licorice root is widely used as a flavoring in sweets and beverages such as craft beer and tea. It contains brain-bolstering B vitamins, choline, magnesium, and selenium as well as a host of polyphenols (bioactive plant compounds that make possible antioxidant action in the brain). Due to its potency and some medication interactions, please check with your doctor before using natural licorice.

● Anti-inflammatory   ● Cognitive function

Mint

This refreshing plant is easily incorporated into a diet by serving it in beverages, on lamb, in soups, or mixed into fresh fruit or vegetable salads. It is one of the most powerful antioxidants found among plants, containing many vitamins and minerals such as vitamins A and C, magnesium, and potassium. Mint is anti-inflammatory, as well. This combination of nutrients is a surefire hit for Alzheimer's prevention.

● Anti-inflammatory   ● Memory

Nutmeg

Grown on a species of evergreen tree, nutmeg is an aromatic spice often found in holiday cooking, baked into sweets, added to the top of a dish as a garnish, or blended into a marinade or dry rub. It is a powerful antioxidant and has been used in traditional Chinese medicine to relieve pain. It is rich in B-complex vitamins such as folic acid and riboflavin, and contains vitamin C as well, all of which contribute to an Alzheimer's prevention plan.

● Anti-inflammatory   ● Cognitive function   ● Memory

Parsley

Although often used as a garnish, parsley could potentially fit into the leafy green category given all its potent mind-nourishing antioxidants. One such antioxidant, luteolin (a flavonoid), has been found to improve brain function in the hippocampus, the area in the brain known to be the center for memory and learning.

* Anti-inflammatory   * Concentration   * Memory

Rosemary

One of the most popular herbs in the world, rosemary is used in cooking and herbal teas. Consumption of rosemary has been linked to improved focus, speed, and accuracy on cognitive testing. It is heavily used as part of the Mediterranean diet, is a natural antioxidant, and has been used to extend the shelf life of perishable foods.

* Anti-inflammatory   * Concentration   * Reasoning
* Brain response time   * Nerve function

Sage

There is promising evidence suggesting that sage, derived from the Latin word *salvare* or "to save," may improve mood and mental performance in healthy young people, and boost memory and attention in older adults. Sage, a member of the mint family, inhibits the release of enzymes that break down communicators in the brain. One study showed sage extract fared well in enhancing learning and cognition in older adults with mild to moderate Alzheimer's disease.

* Anti-inflammatory   * Concentration
* Cognitive function   * Memory

Foods Worth Searching For

Although they are not well known or commonly found on the shelves of the supermarket, the following foods show great promise for their contribution to brain health. These foods are either currently being studied or appear to have what it takes to make them the new up-and-coming brain enhancers. Give them a try!

Ashwagandha Also known as Indian ginseng, poison gooseberry, or winter cherry, ashwagandha is a root with brain-protecting potential. While its berries can be used as a substitute for rennet in cheesemaking, the root is often ground into an herbal supplement or dried and used in teas and other beverages. Studies show it has a cognition-promoting effect and may be useful to control memory deficit as we age. Consider trying it in tea, milk, or hot cereal. As with any herbal remedy, consult your doctor before taking it, to avoid any interactions with medications.

Black Currants Starting in the early 1800s in Europe, black currant extract has been used to treat cold and flu symptoms. Recent research, however, has shown that these sour berries can also help with cognitive function. They contain many of the nutrients linked to Alzheimer's prevention, such as flavonoids, vitamin B_6, polyphenols, vitamin C, iron, and many strong antioxidants. When shopping, specifically look for "black currants" as Zante currants may be sold as an imposter. Fresh currants may be more difficult to find; dried are more generally available.

Hibiscus The beautiful flower of this bushy annual plant is often used in teas, jams, and sauces. Hibiscus is loaded with antioxidants and has been shown to reduce blood pressure in people who drink hibiscus tea for two to six weeks. One particular flavonoid phyto-chemical in hibiscus has been linked to a reduction of tau proteins in the brain (damaging plaque-building proteins found in the brains of Alzheimer's patients). Try hibiscus tea hot or cold, or if you are really daring, the dried flowers are edible and can be used in your favorite dishes or as a garnish.

Kamut This ancient wheat may have brain-boosting nutrition when compared to modern whole wheat. In studies comparing the two, kamut consumption resulted in improvement in inflammatory testing, reduction in total and LDL (bad) cholesterol, and a mild reduction in fasting blood glucose. These laboratory markers are important, as they relate to inflammation in the body, cardiovascular disease, diabetes, and Alzheimer's disease. This sweet, almost but-tery-tasting wheat can be cooked as a hot cereal, served as a side dish, or used in casseroles or soups.

Nut and Seed Oils Walnut oil. Butternut squash oil. Black cumin seed oil. Apricot kernel oil. If fancy finishing oils are something you are interested in experimenting with, the benefits may be more than just unique flavors. Nut and seed oils are high in vitamin D, vitamin E, and omega-3 fatty acids, all of which have been studied for their posi-tive effects on brain health. Walnut oil even has melatonin, adding a sleep benefit. Look for these tasty oils in natural foods co-ops or specialty food stores. Use them in salad dressings, in light sautéing, or even drizzled over vegetables, ice cream, or fruit.

Thyme

Containing two strong antioxidants, vitamins A and C, thyme is linked with improved learning skills and overall maintenance of brain health. A Brazilian study found that one antioxidant in thyme, a flavonoid called apigenin, strengthened connections between neurons and other specialized cells in the brain, which may be helpful in the prevention of Alzheimer's disease. Thyme, with 60 different varieties, pairs well with brain-healthy fish, bean, and egg dishes.

• Anti-inflammatory   • Cognitive function   • Nerve function

Turmeric

This beautiful yellow spice adds a burst of flavor and color to foods and has been used to treat inflammation for thousands of years. Curcumin, a naturally occurring plant compound found in turmeric, is one of the principal healthy phytochemicals. Curcumin acts to protect the body from oxidative stress and inflammation, which contributes to cell damage, diseases of aging, and declined memory function. For more information on this powerful spice, see the next page.

• Anti-inflammatory   • Cognitive function   • Memory

Wasabi

This spicy hot root vegetable is related to cabbage, horseradish, and mustard and is commonly served alongside sushi. It is rich in carotenoids (brain-protecting antioxidants converted in the body to vitamin A). Research shows that aside from its anti-inflammatory properties to reduce Alzheimer's risk, it also contains antibacterial and anticancer properties.

• Anti-inflammatory   • Cognitive function   • Nerve growth

Turmeric

In addition to being a superfood, turmeric has a super pretty color and a super hearty dose of antioxidants! Commonly used in Asian and Middle Eastern foods, this spice has gained popularity in the United States due to its health benefits. Studies show that populations with considerable intakes of turmeric or curry have lower rates of Alzheimer's disease and dementia.

A root from the ginger family, turmeric has been used for centuries as a treatment for inflammatory disorders. Here are some of its benefits:

- Turmeric contains brain-healthy phytochemicals, including curcumin, which has been the most-studied phytochemical for its impact on Alzheimer's disease. Curcumin also stimulates the production of DHA from ALA omega-3 fatty acids and inhibits the accumulation of destructive beta-amyloids in the brain.
- One crucial component of turmeric is aromatic-turmerone, which may help in the recovery of brain function.
- Research indicates that eating turmeric and black pepper together may increase the spice's absorption and effectiveness.

Turmeric can be purchased in fresh or dry form. Try adding it to your diet daily in teas, stir-fries, smoothies, eggs, grains, roasted veggies, and soups.

LEAFY GREENS

Arugula

This peppery salad green has more calcium than any other leafy green and is a good source of brain-enhancing nutrients, including vitamin C, beta-carotene, and folate. Its antioxidant powers can help reduce the amounts of damaging materials in the brain that are thought to be linked to Alzheimer's disease. Arugula is a very social green—it is great tossed with spinach or kale and mixed into casseroles, soups, and sautéed vegetables.

• Anti-inflammatory   • Cognitive function   • Nerve function

Beet Greens

These nontraditional greens have made a mark in the nutritional world with their dense nutrient content. They are rich in the phytochemicals flavonoids (antioxidant) and carotenoids (eye health), vitamins A, C, K, and many B-complex members (ribo-flavin, niacin, folate), as well as potassium. Eating beet greens is an excellent choice to help avoid cognitive decline.

• Anti-inflammatory   • Cognitive function

Chard

Chard is one of the healthiest foods around. It is packed with anti-oxidant flavonoids and vitamin K—both of which may play a key role in boosting memory and ousting damaging by-products in the brain. Chard is a source of vitamins A and C, and of minerals that protect against cognitive decline and Alzheimer's disease.

• Anti-inflammatory   • Cognitive function   • Memory

Collard Greens

Much like eating its leafy green counterparts, consuming a serving of collard greens a day will help keep dementia away. A 2015 research project funded by the National Institutes of Health studied 954 older individuals over the course of five years. At the end of this time, the team determined that those who routinely consumed one or two servings of leafy greens daily demonstrated the mental capacity of someone more than 10 years younger, compared with those who did not eat leafy greens.

• Anti-inflammatory   • Cognitive function   • Concentration

Dandelion Greens

Not just an annoying weed, these leafy greens are a powerhouse for brain health. They contain a significant amount of vitamin E, which is a free radical fighter that helps prevent brain cell damage. Dandelion greens are full of astounding amounts of vitamins A and K. These nutrients provide a memory boost and are helpful when learning new skills. Caution: Do not harvest dandelion greens if you are unsure whether they have been chemically treated.

• Anti-inflammatory   • Cognitive function   • Memory

Kale

Some people consider kale to be the most potent food on the planet, and they might not be far off. Kale is filled with antioxidants; vitamins A, C, and K; and manganese, all important for brain health. Kale also contains omega-3 fatty acids. The plant-based omega-3 ALA (alpha-linolenic acid) is linked to numerous health

benefits, including the lowered risk of Alzheimer's disease. For more information on this powerful brain food, see the next page.

- Anti-Inflammatory
- Cell regeneration
- Nerve function

Napa Cabbage

This delicate and lacy-leafed green vegetable ranks number two on the Centers for Disease Control and Prevention's Powerhouse Fruits and Vegetables list. It's an antioxidant superhero, thanks to polyphenols known as anthocyanins (protective plant compounds), and vitamins C and K. See the spinach, cauliflower, and broccoli profiles for the brain-health attributes also contained in napa cabbage. Each characteristic is important in the prevention or delay of Alzheimer's disease.

- Anti-inflammatory
- Memory
- Concentration
- Nerve growth

Spinach

Green and mighty, spinach is rich in B vitamins such as folate, which regulates homocysteine levels in the blood. Heightened homocysteine levels are seen in patients with Alzheimer's disease. Spinach also contains beta-carotene, a strong antioxidant that prevents the formation of free radicals, and lutein, which decreases the number of oxidized red blood cells in the brain. A study concluded that by consuming one serving of spinach a day, you can help prevent cognitive decline.

- Anti-inflammatory
- Cognitive function
- Memory

Kale

Do you believe the ancient Turkish saying "every leaf of kale you chew adds another stem to your tree of life"? Kale, yeah! It may help you live longer and keep your brain healthy, too.

- Kale is loaded with antioxidants— vitamins A, C, and K. One cup of chopped fresh kale has the vitamin C content of a medium-size orange or grapefruit.
- Kale contains the plant-based omega-3 ALA, which promotes numerous health benefits, including a lowered risk of Alzheimer's disease.
- Due to its vitamin K, beta-carotene, and folate content, kale consumption has been linked to a slowing of cognitive decline in older age.
- Many of kale's top brain-health components are more effective when they are combined with other foods. For example, fats like olive oil and avocado make the carotenoid antioxidants in kale more available for use by the body and brain. One great way to activate these antioxidants is to rub or massage the leaves with olive oil prior to making your salad or kale dish.

Kale can be baked, made into a variety of main or side dishes, and added raw to smoothies or pasta dishes.

Beets

Beautiful beets are a rich source of folate, a regulator of homocysteine levels (helpful in preventing cognitive decline). They contain phytochemicals in their bright red pigment. Researchers have found that drinking beet juice both decreases blood pressure and increases blood flow in the brain, potentially combating the progression of dementia. For a new twist, try freshly grated beets in salads and sandwiches.

• Anti-inflammatory   • Cognitive function   • Mental clarity

Broccoli

Due to the strong nutrient profile of broccoli, it has received positive press for years. In addition to containing sulforaphane, a potent antioxidant with nerve-protecting benefits, broccoli is rich in important mind-empowering vitamins A, B_5, C, and E. Broccoli also contains vitamin K, which has been linked with improved cognition in aging.

• Anti-inflammatory   • Cognitive function   • Nerve function

Brussels Sprouts

Tasty Brussels sprouts are becoming popular for their vitamin A partner, retinoic acid, which boosts nerve connections and combats neurological disorders, including dementia. Also high in vitamins B_6, C, and K; folate; and fiber, this cruciferous vegetable is a brain-boosting dynamo. Brussels sprouts taste best when cut into small pieces and are delicious when cooked with olive oil and garlic, or served raw in salads.

• Anti-inflammatory   • Cognitive function   • Nerve function

Carrots

Rich in beta-carotene, vitamins A, B, and folate, carrots are a slam dunk for a healthy mind. Vitamin A and beta-carotene are both strong antioxidants, reducing the risk of cancer as well as memory loss, while vitamins B_6 and B_{12} aid in the regulation of homocysteine levels in the blood; increased levels of this protein by-product are associated with dementia.

• Cognitive function   • Memory

Cauliflower

Unlike many white foods, cauliflower is highly nutritious and loaded with vitamin C and choline-rich fiber. People with higher choline levels have outperformed others on cognitive testing. Cauliflower, a cruciferous vegetable, also contains loads of anti-oxidants and vitamin K, both vitally important for the prevention of Alzheimer's and cardiovascular diseases.

• Anti-inflammatory   • Brain response time   • Cognitive function

Chile Peppers

Capsaicin is the main phytochemical (bioactive plant compound with brain-boosting benefits) found in chile peppers and is responsible for their unique hot taste and many of their health advantages. Other nutrients found in chile peppers are linked to improved cognition, reduced cardiovascular risk, and lowered Alzheimer's risk. These nutrients include vitamins A, B_6, C, and K, and potassium. To help fire up your brain, many chile varieties exist. When dried (cayenne, chili powder), they can add flavor and color to a plethora of dishes.

• Anti-inflammatory   • Concentration
• Cognitive function   • Nerve function

Cucumbers

Belonging to the same family as melons, cucumbers contain a robust phytochemical, fisetin. This antioxidant is effective at protecting the neurons of the brain and can improve memory. It can also decrease inflammation in the body and brain and has a positive effect on brain cells.

- Anti-inflammatory
- Memory
- Nerve function

Eggplant

Also called aubergine, eggplant is commonly eaten in Japan and the Mediterranean and Middle Eastern countries. Eggplant contains a strong phytochemical in its skin called nasunin. This potent antioxidant has been shown to protect cell membranes from free radical damage, in turn providing brain protection from Alzheimer's disease. Eggplant is also a good source of dietary fiber, which is associated with lowering the risk of Alzheimer's.

- Anti-inflammatory
- Cell regeneration
- Nerve function

Garlic

Affectionately called "a stinking rose," garlic is as healthy as it is fragrant. Garlic, a vegetable bulb, is high in vitamins C and B_6 and in selenium, and has been associated with enhanced memory function and cardiovascular protection through the dilation of blood vessels and control of blood pressure. Fresh garlic contains a wealth of sulfur-containing compounds, which gives it its scent and provides its antioxidant effects. To maximize garlic's nutrient activity, chop it fresh and wait for 5 to 10 minutes before cooking or eating it.

- Anti-inflammatory
- Cognitive function
- Memory

Jicama

Sometimes known as the Mexican turnip or potato, jicama adds great crunch and a mild flavor to foods. When combined with the complementary flavors of chili powder, orange juice, and lemon juice, it is powerful food for the brain. Jicama is an excellent source of vitamin C, which can protect your blood vessels from damage that may lead to a stroke, a heart attack, or Alzheimer's disease. It also contains vitamin B_6, which is helpful in the reduction of damaging proteins in the brain.

• Anti-inflammatory   • Cognitive function

Kohlrabi

Raw or cooked, a serving of this cabbage-family vegetable contains more vitamin C than an orange. Much like other cruciferous vegetables, kohlrabi is full of remarkable phytochemicals that reduce inflammation and in turn reduce the risk of developing Alzheimer's disease.

• Anti-Inflammatory   • Cognitive function

Leeks

Related to onions, garlic, and shallots, leeks are an excellent source of antioxidants that fight to protect the cells in the brain. They also contain vitamins A, B_6, C, K, and folate, plus polyphenols, all nutrients that help reduce inflammation and the modifiable risks for Alzheimer's disease.

• Anti-Inflammatory   • Cognitive function   • Cell regeneration

Okra

This ancient Middle Eastern food was traditionally consumed by scholarly students as a "brain food." There is speculation that okra may reduce free radical–induced oxidative stress. Okra pairs well with hot chile peppers or spices such as turmeric and curry.

* Anti-inflammatory   * Cognitive function

Onions

A close relative to garlic and a member of the allium family, the onion plays a major role as a base seasoning in Mediterranean cuisine. Onions have a positive effect on almost every aspect of brain health: They reduce cardiovascular risk, improve blood pressure, decrease risk of diabetes, decrease homocysteine levels, and have prebiotic functions. Incorporating onions daily into your mind-nourishing eating plan is a recipe for brain health.

* Anti-inflammatory   * Cognitive function   * Memory

Potatoes

The potent potato is frequently underestimated and takes a bad rap for the unhealthy preparation methods and toppings added to it. Promising studies reveal that the antioxidant properties in potatoes can improve memory deficit in individuals with cognitive loss. Vitamins B_6 and C, potassium, and fiber may help sharpen mental focus and avoid long-term cognitive decline. In an effort to keep your brain healthy, consume the versatile potato—skin and all to provide the protection you need.

* Anti-inflammatory   * Concentration
* Cognitive function   * Memory

Pumpkins

Roasted, baked, boiled, or dried, pumpkins bring home the brain boost needed to lessen your risk of Alzheimer's disease. The B-vitamin content may raise cognitive-skill test scores, and the vitamins A and C from this bright orange vegetable protect against cardiovascular disease and help with memory and learning new mental skills.

- Anti-inflammatory
- Concentration
- Nerve function
- Cognitive function
- Memory

Red Bell Peppers

Although all bell peppers have great nutritional qualities for a healthy brain, the red variety actually provides more vitamin C than its green, yellow, or orange counterparts, and more than even citrus fruit. Along with vitamin A, a network of antioxidants support the immune system and reduce inflammation and cell damage in the brain. Vitamins B_6, C, E, and K, plus potassium and folate, add to the total mind-health package of this flavorful vegetable.

- Anti-inflammatory
- Cognitive function
- Nerve function

Red Cabbage

Red cabbage has a specific compound that activates a good protein responsible for getting rid of bad tau proteins formed in the brain. Tau proteins act as a transport system for nutrients throughout the brain, and when altered become tangled and slowly degrade. These tangled proteins are highly prominent in the brains of Alzheimer's

patients. Red cabbage provides a significant brain boost due to its protective red pigments.

- Anti-inflammatory
- Concentration
- Mental clarity
- Cognitive function
- Memory

Shiitake Mushrooms

Chinese culture has embraced the shiitake mushroom for medicinal purposes for more than 6,000 years. These flavorful fungi can now be purchased in most grocery stores in the produce aisle or at farmers' markets. They are a good source of vitamin B_5, selenium, and antioxidants, which play crucial roles in brain health. Mushrooms have been linked to immune system protection, inflammation protection, and enhancement of nerve growth in the brain.

- Anti-inflammatory
- Nerve function
- Nerve growth

Sweet Potatoes

The anti-inflammation effect of sweet potatoes is extremely proficient at protecting brain tissue. This food is high in beta-carotene; vitamins A, B complex, C, and E; and phytochemicals, specifically the antioxidant anthocyanin. This combination of powerful nutrients may boost the brain's learning skills, enhance the ability to focus, and decrease risk of Alzheimer's by reducing cell damage in the brain. For more information on this powerful food, see the next page.

- Anti-inflammatory
- Cognitive function
- Nerve function
- Brain response time
- Concentration

Sweet Potatoes

Baked, mashed, roasted, or boiled—no matter how you cook them, sweet potatoes are sure to nourish and protect your brain. Sweet potatoes are one of the oldest vegetables known to humans.

- This orange-fleshed root veggie is one of the best sources of vitamin A and beta-carotene in the US food supply.
- Supplying fiber and a high concentration of other nutrients, the sweet potato has shown promise as a food to help reduce the incidence of Alzheimer's disease.
- Sweet potatoes are a staple for many countries, including Japan, which boasts of having a low rate of Alzheimer's.
- The beautiful sweet potato is not always orange on the inside. There is another variety that is purple-fleshed and has a different set of phytochemicals, including the brain powerhouse anthocyanin. Regardless of the color, though, sweet potatoes are a great source of a wide variety of vitamins and antioxidants.

This age-old vegetable is having a resurgence as a popular replacement for fried and baked potatoes on restaurant menus. Adding sweet potatoes to the brain-healthy diet a couple of times a week is easy: Just replace them in any recipe calling for another root vegetable, or use them in casseroles or as a side dish for any meal of the day.

Tomatoes

Tomatoes are a brain-health force, rich in all four of the major carotenoids, antioxidants (beta-carotene, vitamins A and C), vitamin B₅, and potassium. The antioxidants help prevent harmful by-products in the body from forming and damaging the cells. Additionally, the potassium found in tomatoes is important for nerve and muscle function.

* Cognitive function   * Memory   * Nerve function

Winter Squash

Winter squash can help keep your brain healthy. While butternut, delicata, Hubbard, spaghetti, and kabocha squashes are all packed with nutrients, acorn squash is the gray-matter powerhouse. Nutrients in winter squash that contribute to improved cognition, learning skills, and decreased cell damage in the brain include vitamins A, B₆, C, and K; folate; and potassium, and fiber.

* Anti-inflammatory   * Concentration   * Nerve function
* Cognitive function   * Memory

Yams

Sometimes confused with sweet potatoes, the yam is a sweet root tuber of varying sizes and colors—from pink to tan to purple. Touted as a "superfood" with multiple health benefits, yams help with Alzheimer's prevention through their alphabet of vitamins (A, B, C, E, and K) and abundance of antioxidants, fiber, and magnesium. The darker colors have the biggest array of brain-power nutrients.

- Anti-inflammatory
- Cognitive function
- Concentration
- Memory
- Nerve function

Zucchini

Sweet and delicate enough to be eaten raw or cooked, zucchini is a summertime favorite, yet it is available in most supermarkets year around. Because of its high water content, this vegetable has a great nutrient-to-calorie ratio (high nutrients, low calories) and provides many of the nutrients important for brain health. Folate, along with vitamins A and C, helps protect the cells in the heart and brain from damage that may lead to Alzheimer's and cardiovascular disease.

- Anti-inflammatory
- Cognitive function

digestive and colon health. They are also rich in antioxidants (vitamins C and E), phytonutrients (flavonoids), folate, and potassium, all of which make this legume a slam-dunk brain food. For more information on this powerful brain food, see the next page.

* Anti-inflammatory   * Cognitive function

* Cell regeneration   * Memory

Lentils

These versatile legumes are easy to include in many dishes due to their complementary flavor and texture. Studies conducted over several decades have suggested that increasing consumption of plant foods like lentils decreases the risk of obesity, diabetes, heart disease, and overall mortality. Lentils provide B vitamins, which are specifically beneficial to lower homocysteine levels in the brain; a high level is linked to increased risk for Alzheimer's disease.

* Anti-inflammatory   * Cognitive function   * Memory

Mung Beans

This ancient bean from Asia has been eaten for many centuries and possesses great promise as an anti-Alzheimer's superfood. The mung bean is loaded with antioxidants and phytochemicals, which can help reduce damaging oxidation in the brain, providing brain protection. Mung beans are highly versatile and can be eaten cooked or sprouted.

* Anti-inflammatory   * Cognitive function

Garbanzo Beans

Garbanzo beans, also known as chick-peas, lead the legume category for their brain-protection capabilities. The consumption of legumes improves cognition and prevents damage from oxidation in the body and brain.

- The garbanzo bean's outer seed coat has concentrated mind-nourishing flavonoids, including quercetin, kaempferol, and myricetin, while the interior is rich in ferulic, chlorogenic, caffeic, and vanillic acids. All of these phytochemicals function as antioxidants.
- Studies suggest the garbanzo's phytochemicals may decrease chronic inflammation and increase self-destruction of damaged brain cells.
- Garbanzo beans are an excellent source of the healthy-brain nutrients folate and fiber.
- Research suggests that diets that include beans reduce low-density lipoprotein cholesterol, favorably affect risk factors for metabolic syndrome, and reduce risk of heart disease and diabetes. These risk factors are consistent with the modifiable risks for development of Alzheimer's disease.

Eat garbanzos and other legumes in ½-cup servings at least three or four times per week to lower the risk of Alzheimer's disease. Garbanzos can be used in main dishes, soups, salads, as sides, and even as a fat replacement in baking.

Peanuts

An allergen to some, peanuts may help nourish and protect the brains of others. They are a great source of vitamin E, which functions as an antioxidant and protects nerve membranes. Peanuts are also an excellent source of B vitamins, especially niacin; all of the B vitamins have positive attributes for brain health.

• Anti-inflammatory • Cognitive function • Nerve function

Soybeans

Found in many products, soybeans are a very diverse protein source with a high concentration of many nutrients. They help slow cognitive decline and improve overall brain function with their content of folate, vitamin K, calcium, riboflavin, and flavonoids. They are an excellent source of fiber, contain a variety of other essential vitamins and minerals, and are fun to eat out of the shell as edamame.

• Anti-inflammatory • Cognitive function

WHOLE GRAINS

Amaranth

This ancient grain is gaining popularity due to its wide array of nutrients and many health benefits. Amaranth, a gluten-free whole grain, contains heart-healthy oleic fatty acids and polyphenols (plant compounds with antioxidant and anti-inflammatory effects). These nutrients help protect the brain and aid in the repair of damaged brain cells. Amaranth can be popped like popcorn, or eaten as a hot cereal for breakfast or as a savory side dish combined with almost any spice or herb from this guide.

• Anti-inflammatory   • Cognitive function

Barley

The B-vitamin content of barley, including folate, B_6, and B_{12}, makes it a "grain for your brain." The consumption of B-vitamin-rich foods has been linked to lowered homocysteine levels in the blood, causing memory-boosting effects and lessened cognitive decline. Additionally, the high fiber in this whole grain contributes to improved blood sugar regulation and lowered cardiovascular risk, resulting in lowered Alzheimer's risk.

• Cognitive function   • Memory

Brown Rice

The Mediterranean and MIND diets both support the use of whole grains versus refined carbohydrates for the prevention of Alzheimer's disease. Brown rice is one such whole grain, and studies show substituting brown rice for white rice can reduce

the incidence of type 2 diabetes, which is linked to increased Alzheimer's risk. Brown rice has antioxidative compounds, is rich in fiber and selenium, and is a good choice for nourishment of the mind.

• Cognitive function   • Memory

Buckwheat

Despite its name, this whole grain is a seed, not a wheat, which also means it is gluten-free. Buckwheat is higher in protein than other grains and has a nutritional profile that demonstrates brain-health potential. It is high in magnesium, folate, fiber, and selenium. Buckwheat contains many brain-defending phytochemicals. One in particular, rutin, works together with vitamin C to form a strong antioxidant, which protects brain cells from damage.

• Anti-inflammatory   • Cognitive function

Bulgur

Packed with insoluble fiber, bulgur has qualities to help reduce cholesterol, regulate blood sugars, and potentially reduce the risk of Alzheimer's disease. This Middle Eastern staple complements a variety of herbs, spices, and other foods. Bulgur is a good source of potassium, which supports the brain's memory function. It is also a slowly absorbed source of glucose for the brain.

• Cognitive function   • Memory

Farro

An ancient Egyptian grain used in Italian cooking for centuries, farro is an excellent alternative to pasta or rice. This tiny

nourishing whole grain is packed with several important minerals. One mineral vital to brain health is magnesium. Inadequate magnesium intake can lead to elevated inflammatory markers in the body, increased heart disease, diabetes, and Alzheimer's risk. Magnesium is also important to promote adequate sleep.

- Anti-inflammatory
- Cognitive function
- Nerve function
- Sleep enhancement

Millet

This gluten-free grain is often overlooked, but it is an excellent option for any diet, especially for brain-health benefits. It is high in both protein and fiber, as well as magnesium, all of which are important nutrients with regard to Alzheimer's prevention. Additionally, millet is an excellent source of many B vitamins and is one of the best grain sources of antioxidants.

- Anti-inflammatory
- Cognitive function
- Nerve function

Oats

More than just a breakfast cereal, oats provide a brain boost any time of the day. Oats defend your heart and brain with their high levels of soluble fiber (which reduces cholesterol and stabilizes blood sugars) and B vitamins. This nourishing whole grain also contains zinc and potassium—nutrients vital to brain development and helpful for full-capacity brain function. Benefits are consistent regardless of the type of oats eaten (quick, old-fashioned, steel-cut).

- Cognitive function
- Memory

OILS

Coconut Oil

This solid oil is full of saturated, monounsaturated, and polyunsaturated fatty acids, but, most pertinent to Alzheimer's studies, the majority of the fats are medium-chain triglycerides. These triglycerides can easily be converted into ketones, which in turn become an energy source for the brain. This process occurs due to their ability to passively enter the bloodstream without using transport channels. Studies are underway and conclusive research is needed to determine the efficacy of coconut oil as a main fat and calorie source for Alzheimer's disease prevention. Another positive in the brain-health court is that coconut oil contains vitamin E, which has been linked with delayed memory loss.

- Cognitive function
- Memory

Extra-Virgin Olive Oil

For years, olive oil has been known for its cardiovascular, blood cholesterol, and digestive health benefits. Studies have shown that, in particular, extra-virgin olive oil (EVOO) has a stronger concentration of phytonutrients than regular olive oil. It also has more oleic acid (monounsaturated fat), which has strong anti-inflammatory properties. One of the foundations of the brain-healthy Mediterranean diet, EVOO has been implicated in the removal of beta-amyloid proteins in the brain, which could be part of the reason why countries with a very high intake of this nutritious oil have lower rates of Alzheimer's disease.

- Anti-inflammatory
- Memory
- Cognitive function
- Nerve function

Walnuts

Walnuts are tree nuts that have been cultivated for thousands of years. There are several different varieties, with black walnuts being the most common type found in the United States.

- Walnuts are a rich source of plant-based omega-3 fatty acids and are particularly high in one type called alpha-linolenic acid, or ALA. Walnuts are one of the most significant sources of ALA, an essential fatty acid. The word *essential* here means your body cannot synthesize it, so it has to be eaten in the diet. Research links a high intake of omega-3s to a reduction in risk for cognitive decline. Theories about why omega-3s might influence dementia risk include their anti-inflammatory effects and their support and protection of nerve cell membranes.
- Other nutrients found in abundance in the delicious, nutritious walnut include folate, vitamin B_6, vitamin E, and fiber—all influential in nourishing the brain.

Roast walnuts and toss them into salads or with whole grains. Grind them to make dips and spreads. Pair them with leafy greens, cinnamon, and other brain-healthy foods.

PROTEIN

Eggs

Eggs were a demonized food for decades, but recent research points toward the many benefits of more than just the white part of this protein-packed food. Egg yolks contain the strong antioxidant vitamin E and the nutrient choline. Both are essential for brain development and potentially instrumental in the prevention of age-related memory loss. Eggs also have other important nutrients, including vitamins B and D and selenium. Farm-fresh and omega 3–enriched eggs wield the biggest nutritional impact.

- Anti-inflammatory
- Brain response time
- Concentration
- Memory
- Nerve growth

Fish

In the United States, the average person eats about 15 pounds of fish per year. By contrast, people in Japan and countries of the Mediterranean consume four to five times this amount, and their incidence of Alzheimer's is lower and their life expectancy is higher. Brain health is dependent upon omega-3 fatty acids and vitamin D, both of which are prominent in fatty fish. For more information on this powerful brain food, see the next page.

- Anti-inflammatory
- Cognitive function
- Concentration
- Nerve function
- Nerve growth
- Memory
- Sleep enhancement

A CLOSER LOOK
Fish

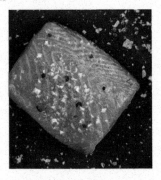

Fatty fish is the world's best source of omega-3 fatty acids and the best dietary source of vitamin D, an essential nutrient deficient in over 40 percent of the US population. Both nutrients are important in the prevention of heart attack, stroke, and Alzheimer's disease and are crucial for brain development and to reduce brain shrinkage and function as we age.

The following fish have more than 5 percent fat by weight and are ranked from highest to lowest by omega-3 fatty acid composition:

- Mackerel
- Lake trout
- Herring
- Wild salmon
- Carp/chub
- American shad
- Sardines
- Chilean sea bass
- Sablefish/black cod
- Whitefish
- Butterfish/pompano
- Tuna
- Anchovies
- Eel

Fish with high mercury contamination, such as Chilean king mackerel, swordfish, shark, marlin, sablefish, Chilean sea bass, and some varieties of tuna, should be eaten in limited quantities (avoid if pregnant, may become pregnant, or breastfeeding).

Eat 3 to 4 ounces of fatty fish at least three times per week. Taking fish oil supplements does not show the same positive results for cognition.

Tofu

Epidemiological studies observed that populations that consume greater amounts of soy have, in general, lower rates of age-related mental disorders. Although soy consumption was possibly linked with increased dementia in one study in the early 2000s, the overall health benefits outweigh the risks. Tofu and other soy foods contain phytonutrients that protect the heart and brain and may improve memory and cognition.

• Cognitive function   • Memory   • Nerve function

FERMENTED FOODS

Apple Cider Vinegar

While its full effects on brain health are still being researched, apple cider vinegar has been used as a medical remedy for centuries. Friendly bacteria (probiotics) and antioxidants are thought to be the mechanism for reducing health risks. This fermented vinegar has shown promise in improving insulin sensitivity and cardiovascular risk, although human studies are still needed.

• Anti-inflammatory

Craft Beer

Rich in flavonoids (a phytochemical plant compound), B vitamins, probiotics, and (often) brain-enriching additions such as herbs and spices, craft beer may just be the new liquid refreshment for brain health. Though caution should be used to avoid overconsumption, one beer per day for women and two for men may prove to have brain-protective effects through a reduction of cardiovascular risks and inflammation.

• Anti-inflammatory   • Cognitive function

Kefir

This fermented milk drink contains high levels of brain-enriching vitamin B_{12} and folate and is filled with probiotics. Certain strains of bacteria in kefir have been linked to improved learning and memory. The probiotics also play a role in reducing inflammation, which lowers Alzheimer's risk.

• Anti-inflammatory   • Cognitive function   • Memory

Miso

Many Asian cultures have lower incidence of Alzheimer's disease. Miso has been an important part of these cultures for centuries. Miso is a pasty food composed primarily of fermented soybeans and is often made into soup. It is a very good source of manganese and vitamin K, both important for brain function. Soybeans are also one of the richest sources of phytochemicals (isoflavones), which may mimic the role of estrogen in the brain.

• Cognitive function   • Nerve function

Red Wine

There have been many studies linking moderate daily consumption of red wine to a slowed progression of Alzheimer's disease. Most of these studies point to the phytochemical resveratrol in red wine as the protective agent that restores healthy-brain components and reduces brain inflammation. For more information on this powerful brain food, see the next page.

• Anti-inflammatory   • Cognitive function   • Memory

Sauerkraut

Fermented cabbage in the form of fresh sauerkraut is rich in vitamins B, C, and K. In fact, the fermentation process increases the availability of these vitamins and makes the sauerkraut even more nutritious than its raw, unfermented form. This is good news for brain health, as in addition, sauerkraut is rich in probiotics, antioxidants, fiber, folate, potassium, and magnesium, which are all important in improving cognition.

• Anti-inflammatory   • Concentration
• Cognitive function   • Mental clarity

Red Wine

What are the secrets behind red wine and a healthy brain?

- Red wine is particularly high in the phytochemical resveratrol, a polyphenol found in grape skins and touted as a possible preventive compound for Alzheimer's disease, cancer, diabetes, and many other conditions. The amount of resveratrol in wine depends on the type of red grape used and the region in which it is grown. Generally there is more of this phytochemical in the grapes grown in cooler climates. Pinot Noir, Malbec, Cannonau, and Grenache wines have the highest content of resveratrol.

- New research on the effects of resveratrol for Alzheimer's disease prevention suggests it may actually slow the progression of the disease by protecting nerve cells from damage and fighting plaque buildup in the brain.

How does this research translate into recommendations? The American Heart Association recommends drinking in moderation for heart health, which amounts to an average of one to two drinks per day for men, and one drink per day for women. Following these recommendations may have the added benefit of preventing Alzheimer's disease.

Yogurt

Live-culture yogurt with probiotics has been shown to improve cognition and reduce anxiety. Some studies suggest that the GI tract microbiome (the large family of good bacteria in the gut) in Alzheimer's patients is altered and that probiotics improve learning through the gut's influence on neurological function. Plain yogurt, both Greek and regular, are great choices.

- Brain response time
- Cognitive function
- Memory
- Sleep enhancement

OTHER

Coffee

Fortunately for java fans, coffee consumption (without added cream and sugar) has been linked to up to 65 percent lowered incidence of Alzheimer's disease. Beyond the caffeine, coffee's hearty dose of antioxidants, positive anti-inflammatory action, and ability to reduce insulin resistance have all been cited for their positive effects on the brain. Since coffee is a stimulant, it is not for everyone and can interrupt sleep, especially if consumed later in the day.

- Anti-inflammatory
- Cognitive function
- Concentration

Green Tea

The antioxidants from the flavonoids and catechin phytochemical groups present in green tea may help catapult it to the top of the mind-healthy food list. Studies have revealed that individuals who drink more green tea show improved mental focus, better memory, heightened brain activity, and the creation of new neurons in the brain. Green tea provides a great opportunity for the addition of other brain-healthy spices, herbs, and fruits. For more information on this powerful brain food, see A Closer Look (page 97).

- Anti-inflammatory
- Concentration
- Nerve growth
- Cognitive function
- Nerve function

Seaweed

This powerful antioxidant food is a staple of the Japanese diet. Complex nutritious compounds (sulfated polysaccharides) found in seaweed have been shown to reverse oxidative damage to brain and nerve cells. A chemical called homotaurine is also found in seaweed and has been linked to reducing brain toxins and interfering with the formation of the plaques in the brain that contribute to Alzheimer's disease. Homotaurines are found only in certain types of seaweed, and not in supplements.

• Anti-Inflammatory   • Cognitive function   • Memory

Green Tea

What makes green tea the healthiest beverage for your brain? Is it the anti-oxidants, the caffeine, or the amino acids? Researchers believe it might be all of these things . . . and maybe more.

- Powerful antioxidants in green tea have been linked to a reduction in damage from free radicals, which are in part responsible for aging and deterioration in the brain.
- The caffeine in green tea blocks bad nerve communicators and increases the concentration of good connections. This in turn leads to improvements in brain function, reaction time, and memory.
- An important amino acid, L-theanine, works with the caffeine in green tea to improve brain productivity.

Collectively, these somewhat complicated reactions in the brain help reduce your risk of developing Alzheimer's disease.

Drinking at least one cup of green tea (iced or hot) per day will add to your arsenal of brain protection. Remember, the high-est quality teas are loose leaf. You can add extra brain-nourishing power to your green tea by adding other herbs and spices from this guidebook—try a new one each day.

Chapter 4
The Meal Plans

This chapter is where we turn information into action. The sample meal pattern and meal plans presented here take into account the dietary guidance that we covered in chapter 2 and call for a variety of the brain foods we profiled in chapter 3.

To help nourish and protect the brain, the following general guidelines are recommended:

- Don't rush your meals.
- Eat meals with family and friends whenever possible.
- Drink at least 8 ounces of water with every meal and in between meals, too.
- Avoid deep-fried foods.

- Use extra-virgin olive oil (EVOO) as the fat of choice in sautéing and pan-frying; vinaigrettes and sauces; pesto, hummus, and other spreads; and as a replacement for butter or margarine in and on foods such as toast and vegetables.
- Limit high-fat meats, butter, margarine, mayonnaise, and cream, and other high-fat foods.
- Use lean cuts of meat in small portions (less than 5 ounces) a couple of times per week, mainly as a flavoring or condiment in cooking.
- Limit sugar, sweets, pastries, desserts, and sugary drinks to a couple of times per week.
- Use salt in moderation—try new spices and herbs instead.
- Consume protein in the breakfast meal, and evenly distribute protein amounts throughout the day.
- Eat whole fruit versus juice, and limit fruit juices to 4 ounces, three or fewer times per week.
- If you choose to drink alcohol, drink in moderation— one drink for women and two for men, daily.

It may be helpful to use this plate as a visual example to plan your meals using the food categories in this guide:

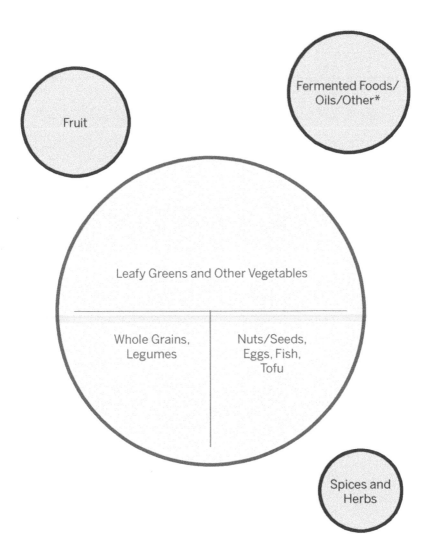

Other foods include coffee, green tea, and seaweed

Sample Meal Pattern

For many, it is overwhelming to think about preparing multiple meals each day. We encourage you to think in terms of meal patterns, or the categories or elements of a meal that you can put together to make up a brain-friendly plate. When you plan for meals at home, thinking in terms of a meal pattern can be helpful. Using the plate diagram as a guide, here is a sample meal pattern for breakfast, lunch, and dinner, plus two optional snacks for any given day. Consider including fermented foods in at least one of these meals or snack times.

Breakfast

- ½ cup or 1 small piece of fruit
- ½ cup hot whole-grain cereal or 1 cup cold cereal or 1 to 2 slices whole-grain bread or ½ cup starchy vegetable or legumes
- 2 ounces protein or ½ to 1 cup dairy (or ¼ of the plate)
- 1 cup coffee or green tea

OPTIONAL: 1 to 2 cups leafy greens or other vegetables

Lunch

- ½ cup or 1 small piece fruit
- 2 cups raw or 1 cup cooked vegetables/leafy greens (or ½ of the plate)
- ½ cup whole grain or 1 to 2 slices whole-grain bread or ½ cup starchy vegetable or legumes
- 3 to 4 ounces protein (or ¼ of the plate)

Dinner

- ½ cup or 1 small piece fruit
- 2 cups raw or 1 cup cooked vegetables/leafy greens (or ½ of the plate)
- ½ cup whole grain or 1 to 2 slices whole-grain bread or ½ cup starchy vegetable or legumes
- 3 to 4 ounces protein (or ¼ of the plate)

OPTIONAL: 1 (6-ounce) glass red wine or 1 (12-ounce) glass craft beer, or 1 cup tea or hot chocolate (made with cacao)

Optional Snack (once or twice daily)

- ½ cup fruit or vegetable
- 1 to 2 ounces protein

Two Weeks of Meal Plans

We have written a two-week meal plan, structured to provide the proper number of servings from each food group, as recommended in chapter 2. Each of the brain-healthy foods in the book is incorporated in the meal plan at least once. We made an effort to include the names of recipes that will be easy for you to find online.

Meal planning takes a little work and creativity, but once you get into the habit, you will discover it is worth the effort. Remember, there is no right or wrong way to plan meals. The best advice is to incorporate brain-nourishing foods into every meal, try new things, and mix and match foods that work for you and your family. Having written meal plans for clients over the course of many years, we know they can be difficult to implement to the letter. With that in mind, recognize that you will probably not follow this exactly, and

that's okay. Your overall commitment to changing your diet is more important than sticking strictly to this meal plan. Don't be hard on yourself. If you don't eat a single food profiled in this book for three days in a row, accept it and move on. The next day, treat yourself to a mug of green tea and munch on a handful of walnuts when you feel like snacking. Slow change is better than no change at all.

As mentioned previously, fresh, in-season, and organic foods often provide the highest nutrient content and lowest risk of contaminants. However, it is better to eat a wide variety of the foods profiled in this guide in any form rather than bypass them because you cannot afford, or do not have access to, organics. Turn to page 164 to see lists of produce that carry the relative highest and lowest pesticide loads, which can influence whether or not you buy organic varieties. As always, be sure to wash all fresh foods carefully before consuming them.

Simplify Your Menu Prep

There's nothing like a home-cooked meal, and there are some steps you can take to ease the time and stress that sometimes come with the thought of preparing a meal after a difficult or long day at work. Chopping an onion or carrot for your dinner preparation? Chop one or two extra, and store them to use for meals you plan to make later in the week. Or do as much ahead-of-time preparation on the weekends as you can. By chopping and storing vegetables and portioning out your proteins ahead of time, your actual meal prep during the week is only about cooking—and eating—the delicious food.

Other time-saving techniques include preparing double recipes of soups and stews in a slow cooker. The leftovers make for another delicious meal. Likewise, who has time to cook a healthy breakfast

every morning? An egg bake or oatmeal can be made in quantity at the beginning of the week and eaten throughout the week. Sauces like marinara, pesto, and chimichurri can be purchased or made ahead of time as well, and will store safely in the refrigerator for a couple of weeks.

A Note on Calorie-Restricted Diets

We'd like to add a few words about calorie restriction and weight. One of the early signs of Alzheimer's disease is unexplained weight loss. One theory suggests that weight loss is due to the accumulation inside the brain of a peptide called amyloid-beta. This causes a disruption in the body's mechanism to regulate its weight, leading to accelerated weight loss years before an Alzheimer's diagnosis is made. Furthermore, many studies have found that the lower your caloric consumption throughout life, the lower your risk for developing Alzheimer's disease. The biology behind this is unclear, and more research is needed. This may be one more piece to the dietary puzzle in the prevention of Alzheimer's disease. For this reason, the calories in the following meal plans may seem a little low. For additional calories, adjust serving sizes or add vegetables, nuts, or high-protein foods. Also consider adding the suggested snacks to your daily intake.

{ Week 1

DAY 1

Breakfast

- 1 veggie omelet made with 2 eggs and 1 cup steamed or sautéed vegetables (such as red bell pepper, mushrooms, onion, kale, parsley, and thyme)
- ½ cup sweet potato hash browns
- ½ whole-grain English muffin
- ½ cup grapes (red or purple)
- Coffee

OPTIONAL ADDITIONS: top the omelet with ½ ounce cheese and/or ¼ cup salsa

Lunch

- 1½ cups Thai coconut curry soup with vegetables, garbanzo beans, and brown rice
- 1 plum, sliced
- Hot green tea with lemon

OPTIONAL ADDITIONS: 2 to 3 ounces steamed or baked tofu, shrimp, fish, or chicken in the curry; Thai chile pepper

Dinner

- Salad made with 4 ounces wild salmon with walnut pesto served on 2 cups fresh spinach dressed with 2 tablespoons vinaigrette made with fresh cilantro and apple cider vinegar
- 1 tomato, sliced
- 1 whole-grain roll with apricot compote

- 1 (6-ounce) glass of red wine

OPTIONAL ADDITIONS: 1 tablespoon Gorgonzola cheese and 1 sliced pear or apple on the salad

Dessert

- 1 (2-inch by 2-inch) square of spice cake (with added cardamom and chopped hazelnuts)

Snack (choose one)

- ½ cup raspberries
- 1 cup jicama and carrot sticks
- ¾ cup plain Greek yogurt
- ¼ cup almonds

DAY 2

Breakfast

- 2 tablespoons peanut or nut butter on 1 slice 100 percent whole-grain (spelt) toast
- 1 cup kefir smoothie with cacao
- 1 fried plantain (use in the smoothie or sliced on top of the nut butter toast)
- Coffee

Lunch

- Salad made with 1 cup roasted beet cubes, 2 cups arugula or beet greens, ½ cup berries, ½ cup grapefruit segments, and ⅛ cup pistachios, dressed with 2 tablespoons vinaigrette (such as pomegranate)
- 1 small pumpkin muffin made with wheat germ
- Iced green tea or iced hibiscus tea

OPTIONAL ADDITIONS: 4 ounces tofu, ½ cup beans, and/or 1 tablespoon blue cheese crumbles on the salad

Lunch

- ½ cup tofu sautéed with soy sauce, sesame oil, and ginger; ½ cup rice noodles; cilantro; and chopped water chestnuts, wrapped in 3 napa cabbage leaves
- 1 whole grapefruit (2 fruit servings)
- Hot green tea with ginger

OPTIONAL ADDITIONS: Garlic chili sauce on the napa wraps; substitute ground chicken for the tofu

Dinner

- 1 (3- to 4-ounce) grilled bison or black bean burger with 1 tablespoon fresh horseradish sour cream
- ¼ cup shiitake mushrooms sautéed with fresh garlic
- 1 cup cooked farro with chopped vegetables
- 1 cup steamed collard greens with apple cider vinegar and black pepper
- 1 (12-ounce) glass craft beer brown ale

Snack (choose one)

- 1 small peach
- 1 cup snap peas
- ¼ cup cashews
- ½ cup cottage cheese with cumin and salsa

DAY 5

Breakfast

- 2 small buckwheat pancakes topped with chopped mango, ¾ cup plain Greek yogurt, and 2 tablespoons walnuts
- 4 ounces pomegranate juice
- 1 cup dark chocolate mocha

Lunch

- 1½ cups potato (sweet or regular) and leek soup topped with chopped sage
- ½ Reuben sandwich on whole-grain bread (with ½ cup sauerkraut and 2 ounces turkey or tofu)
- ½ cup red grapes and honeydew melon with lime zest
- Hot mint green tea

Dinner

- Fish taco made with 1 whole-grain or corn tortilla; 3 ounces whitefish baked with cumin and red bell pepper; 1 cup red cabbage, carrot, cilantro, and poblano slaw; and ½ cup black or pinto beans
- ¼ cup salsa
- 1 orange

OPTIONAL MODIFICATION: Transform this to a large salad by omitting the tortilla and adding 1 tablespoon sour cream, ½ ounce shredded cheese, sliced jalapeño, and more greens if you would like

Snack (choose one)

- Apple slices sprinkled with nutmeg
- 1 cup sliced bell pepper trio (red, orange, yellow)
- ½ cup kale chips
- 2 ounces sardines

DAY 6

Breakfast

- 2 poached eggs
- 1 cup red flannel hash made with beets, onions, and potatoes
- ½ whole-grain English muffin
- ½ cup plain nonfat yogurt with ½ cup fruit
- Coffee

Lunch

- ½ avocado filled with artichoke hearts, cucumber, and tomato, or tuna salad with red grapes
- 1 cup tomato-basil soup with freshly grated horseradish
- 6 whole-grain or flaxseed crackers
- ½ cup apricots
- Hot green tea with turmeric

Dinner

- 2 cups Moroccan-style lentil stew made with bulgur, carrots, cauliflower, turmeric, cinnamon, and cumin
- 1 small buckwheat roll
- 2 cups arugula and tomato salad with 2 tablespoons vinaigrette
- 1 (6-ounce) glass red wine

Dessert

- ½ cup mango cobbler sprinkled with chia seeds

Snack (choose one)

- 1 pear sprinkled with cardamom
- Steamed asparagus sticks with freshly squeezed lemon juice
- 2 tablespoons pumpkin seeds
- ½ cup frozen Greek yogurt

DAY 7

Breakfast

○ Yogurt parfait made with 1 cup plain Greek yogurt, ½ cup fresh fruit, ½ cup homemade granola made with toasted millet or bulgur, 1 tablespoon flaxseeds, and 1 tablespoon almonds

○ Coffee

OPTIONAL ADDITIONS: Top the parfait with 1 teaspoon strawberry preserves or honey

Lunch

○ 1 (6-inch) whole-grain flatbread with balsamic-glazed Brussels sprouts, leeks, squash, and Pecorino cheese

○ 2 cups cucumber and watercress salad with ½ cup garbanzo beans, 1 tablespoon pumpkin seeds, and 2 tablespoons vinaigrette

○ 1 orange

○ Iced green tea

OPTIONAL ADDITION: ½ ounce blue cheese crumbles on salad

Dinner

○ 3 to 4 ounces butterfish with 2 tablespoons chimichurri sauce

○ ½ cup mashed potatoes, sweet or regular

○ 1 cup steamed red cabbage with apple cider vinegar

○ 1 plum, sliced

Snack (choose one)

○ ½ cup melon cubes with fresh mint

○ 1 cup zucchini sticks

○ ¼ cup hazelnuts

○ ¼ cup white bean spread

Week 2

DAY 1

Breakfast

- Breakfast burrito made with 1 (6-inch) whole-grain tortilla, scrambled eggs, turmeric and cumin, ½ cup beans (such as black or pinto), and 1 chopped tomato
- 1 cup latte with cinnamon

OPTIONAL ADDITIONS: ½ ounce shredded cheese and/or ¼ cup mango salsa on burrito

Lunch

- 2 cups kale and basil salad topped with ¼ cup dried cranberries or raisins, ½ cup toasted millet or bulgur, 2 tablespoons chopped nuts, and 2 tablespoons dressing of choice
- 1 small peach
- Lavender green tea

OPTIONAL ADDITIONS: 2 ounces sardines and 1 tablespoon feta cheese on the salad

Dinner

- Spaghetti with meat(less)balls, made with 1 cup whole-grain pasta; ½ cup marinara sauce with rosemary, thyme, basil, garlic; and 4 ounces ground turkey meatballs or meatless meatballs
- 1 cup sautéed vegetables of choice (such as garlic, green beans, and carrots)
- 2 cups salad made with 1½ cups sliced fennel and ½ cup grapefruit segments with 2 tablespoons vinaigrette
- 1 (6-ounce) glass red wine

OPTIONAL ADDITION: 1 tablespoon Parmesan cheese on the pasta

Snack (choose one)

- 1 nectarine
- 1 cup pickled beets
- 1 tablespoon chia seeds on ½ cup plain Greek or regular yogurt
- ½ cup curry-spiced roasted garbanzo beans

DAY 2

Breakfast

- 2 small pumpkin pancakes with pumpkin seeds
- ½ cup cinnamon applesauce
- 1 (3- to 4-ounce) black bean patty
- Coffee

Lunch

- 1½ cups vegetable fried rice (brown) with tofu
- 1½ cups sautéed kale with ginger and garlic
- 1 small pear sprinkled with nutmeg
- Hot citrus green tea

Dinner

- 3 to 4 ounces blackened sablefish or wild salmon (rub made with garlic, chile pepper, black pepper, thyme, and cumin)
- 1 cup black-eyed peas and dandelion greens with 1 ounce feta cheese
- 1 cup steamed broccoli and okra with lemon zest
- ½ cup honeydew melon
- 1 (6-ounce) glass red wine or 1 (12-ounce) glass IPA craft beer

Dessert

- 1 lavender and lemon cookie

Snack (choose one)

- ½ cup cantaloupe cubes
- ½ cup roasted kohlrabi sprinkled with turmeric
- ¼ cup mixed nuts
- ¾ cup mango-berry smoothie

DAY 3

Breakfast

- 1 (3-by-3-inch) egg bake made with 2 eggs and 1 cup sautéed vegetables of choice
- ½ cup blueberries with 1 tablespoon chopped pistachios
- 1 slice whole-grain toast
- 4 ounces fresh mango juice
- Coffee

OPTIONAL ADDITIONS: ½ ounce shredded cheese and ¼ cup salsa on the egg bake

Lunch

- Grilled sandwich made with 2 slices whole-grain bread, ¼ cup hummus with wasabi, 1 portabello mushroom, 1 thick slice eggplant, tomato, avocado, and spinach
- ½ cup cherries with cacao shavings and cinnamon
- Chamomile tea

Dinner

- 1 medium baked (regular or sweet) potato stuffed with 1 cup chili with beans (prepared with stout beer), 1 cup freshly chopped veggies (such as tomatoes, scallions, jicama), and ¼ cup salsa
- Leafy green salad with 2 tablespoons dressing of choice

OPTIONAL ADDITIONS: 2 tablespoons guacamole, ½ ounce shredded cheese, and/or 1 tablespoon sour cream on the potato

Snack (choose one)

- ○ ½ banana
- ○ ½ cup roasted Brussels sprouts with rosemary
- ○ ¼ cup peanuts
- ○ ½ cup Greek yogurt

DAY 4

Breakfast

- ○ 1 cup cooked oatmeal topped with chia seeds, black currants, walnuts, and shredded coconut
- ○ 8 ounces kefir
- ○ ½ cup berries of choice with fresh mint
- ○ Coffee

Lunch

- ○ 1½ cups split pea soup with potatoes, kohlrabi, carrots, and leeks
- ○ 1 roll, 100 percent whole grain
- ○ 1 cup kale chips seasoned with turmeric and black pepper
- ○ ½ cup fruit salad
- ○ Iced green tea with 1 orange slice

Dinner

- ○ Open-faced sandwich made with 4 ounces trout baked (with chopped parsley and lime), and 1 slice whole-grain (spelt) bread
- ○ Salad made with 2 cups spinach, ½ cup blueberries, 2 tablespoons chopped almonds, and 2 tablespoons apple cider vinaigrette

OPTIONAL ADDITION: ½ ounce Gorgonzola cheese on the salad

Snack (choose one)

- 1 small orange
- 1 cup carrot and celery sticks
- ¼ cup pecans
- ¼ cup roasted red pepper hummus

DAY 5

Breakfast

- 1 (3-by-3-inch) egg and artichoke frittata with rosemary and basil
- 1 slice zucchini walnut bread with chia seeds or flaxseeds
- ½ cup sliced apricots or apricot compote
- Coffee

OPTIONAL ADDITION: ½ ounce cream cheese on the walnut bread

Lunch

- Bean and vegetable stew made with 1½ cups mixed vegetables and ½ cup beans
- 5 or 6 small whole-grain or flaxseed crackers
- 1 cup cucumber and asparagus salad
- Green tea with licorice root

OPTIONAL ADDITION: 2 to 3 ounces beef or tofu in the stew

Dinner

- ½ (5- to 6-inch) baked pumpkin stuffed with 1 cup barley and mixed mushrooms, with mint and curry
- 2 cups cabbage and kale salad with garlic, lemon, and extra-virgin olive oil
- 1 (12-ounce) glass craft wheat beer

Dessert

- ○ 4 dark chocolate–dipped strawberries

Snack (choose one)

- ○ 1 small bunch grapes (red or purple)
- ○ ½ cup cucumber slices, tomatoes, and olives
- ○ ¼ cup toasted almonds with turmeric
- ○ ½ cup cottage cheese or yogurt on celery

DAY 6

Breakfast

- ○ 1 cup whole-grain and flaxseed cold cereal with milk
- ○ ½ banana with 2 tablespoons peanut or nut butter
- ○ ¾ cup plain Greek yogurt with ½ cup raspberries
- ○ Coffee

Lunch Out

- ○ 1 (8-piece) Unagi sushi roll (eel, cucumber, avocado, brown rice) with wasabi, soy sauce, and pickled ginger
- ○ 1 cup seaweed salad
- ○ 1 cup miso soup
- ○ 1 cup edamame (in shell) sprinkled with garlic salt and red pepper flakes
- ○ Hot green jasmine tea

Dinner

- 1 cup spinach ravioli with roasted garlic and sun-dried tomatoes
- 1 (4-by-4-inch) piece baked Hubbard squash with sage
- Salad made with 2 cups arugula with chopped figs, ½ ounce mozzarella, and ½ cup cherry tomatoes, dressed with 2 tablespoons basic vinaigrette
- ½ cup melon
- 1 (6-ounce) glass red wine

Snack (choose one)

- ½ cup pineapple chunks with chili powder
- ½ cup three-bean salad
- ¼ cup curry-roasted cashews
- 2 ounces chilled shrimp with horseradish cocktail sauce

DAY 7

Breakfast

- 1 cup egg, farro, and vegetable hash
- ½ cup corn and black bean salsa
- 1 slice whole-grain toast
- ½ cup pomegranate juice
- Coffee

OPTIONAL ADDITIONS: ½ ounce shredded cheese and/or 1 tablespoon sour cream on the hash

- Minimize noise (unless it's white noise from a humidifier or fan), bright lights, and electronic screens. It is a good idea to put your phone and other digital devices out of sight and out of reach.
- A comfortable bed and pillow also make a world of difference in promoting great sleep.

Stress Management

Did you know that stress, worry, and anxiety may disrupt normal brain function and increase your risk for Alzheimer's disease? While we don't want this news to stress you out, it might be time to take control of your life and reduce the stress.

Cortisol is a life-sustaining hormone produced by the adrenal glands. It is released in times of stress and is a positive mechanism that helps us cope. However, when stress is long-lasting or chronic, the ongoing production of cortisol affects the memory and learning center in the hippocampus region of the brain. The hippocampus shrinks when cortisol levels stay high, and as a result this important part of the brain cannot do its job. The long-term result can be devastating—memory loss and perhaps Alzheimer's dementia.

Many ways exist to limit life's stressors. Avoiding stressful situations is ideal, and it is important to try to do this whenever possible. Meditation, yoga, breathing sequences, exercise, prayer, and daily affirmations are some ways to deal with stress. Eating a diet built around brain-healthy foods and getting great sleep are crucial as well. Remember that stress reduction does not happen overnight; if you incorporate things like meditation into your daily routine, the positive effects are cumulative and will result in a decreased risk of Alzheimer's disease and a more serene you.

Appendix B
Glossary

Alzheimer's disease: The most common form of neurodegenerative disorder affecting memory, thinking, and behavior. It is characterized by the gradual loss of neurons and synapses in the brain and eventually leads to death.

anti-inflammatory: Reducing or counteracting inflammation.

antioxidants: Various substances that inhibit cell oxidation or reactions promoted by oxidizing agents in a living organism.

brain health: The brain's ability to perform all the mental processes collectively known as cognition, including learning ability, intuition, judgment, language, and memory.

brain response time: Skill and knowledge to acquire factual information, often in a time period that can be measured. Also known as cognitive response.

carotenoids: The various yellow, orange, red, and green pigments found in many fruits and vegetables. The two main types are carotenes and xanthophylls. Carotenes are typically yellow and orange, and beta-carotene is a well-known carotene in foods such as carrots, spinach, and apricots.

cell regeneration: The process of renewal, restoration, and growth that makes cells resilient to natural fluctuations or events that cause disturbance or damage.

cognitive function: An intellectual process by which one becomes aware of, perceives, or comprehends ideas. It involves all aspects of perception, thinking, reasoning, and remembering.

Lunch

o Two pieces of pizza made with 1 (12-inch) whole-grain
crust, tomatoes, fresh garlic, basil, thyme, parsley, shiitake
and other mushrooms, Kalamata and green olives,
red bell pepper, and low-fat mozzarella cheese

o 1 cup wilted spinach salad dressed with
balsamic or apple cider vinegar

o Iced ginger green tea

Dinner

o 1 (1-inch-thick) grilled cauliflower steak with Romesco sauce
(extra-virgin olive oil, roasted red bell pepper, garlic, and almonds)

o 1 cup white beans with chard

o 1 small baked potato or yam with fresh rosemary, thyme, and basil

o ½ cup fresh fruit

Dessert

o ½ cup blackberries on ½ cup lemon sorbet or sherbet

Snack (choose one)

o ½ cup grapefruit and orange segments

o 1 steamed artichoke with freshly squeezed lime juice

o 2 tablespoons roasted pumpkin seeds with
freshly ground black pepper

o 1 deviled egg with apple cider vinegar

Brain-Healthy Food Combinations

Meal planning and food pairing do not have to be rocket science, but there is a little culinary wizardry involved. One of the secrets in successfully combining foods is to think in terms of opposites. When the main dish is complicated, keep the vegetable simple. If most of the meal is dark and rich (as in roasted vegetables), balance this out with a light salad. If it's light, like a fresh Caesar salad, add a little weight with a slice of whole-grain bread. Think seasonal. Shop for

Spices	Vegetable	Fruit	Protein	
Basil	Artichoke, chile pepper, eggplant, okra, red bell pepper, zucchini	Apricot, berries, plum	All protein sources	
Black Pepper	All vegetables	Citrus	Eggs, fish, nuts, seeds, tofu	
Cacao		Apricot, berries, cherries, citrus, grapes (red or purple), mango, plantain	Any protein when used with other Mexican spices, yogurt	
Cardamom	Mushrooms, pumpkin, sweet potato, winter squash	Mango	Garbanzo beans, legumes, nuts, yogurt	
Chamomile	Leafy greens	Citrus, melon		
Cinnamon	Carrot, pumpkin, squash, sweet potato, yam	Apricot	Black-eyed peas, lentils, nuts, tofu	

produce in season and build your meals around the freshest of ingredients. For a taste sensation, use this chart to pair brain foods with spices; the more you try, the better you will become at combining flavors and nutrients.

Foods that nourish and protect your brain from Alzheimer's disease are colorful, flavorful, and easy to combine with your own family favorites. Enjoy them!

Grain	Craft Beer	Wine	Tea
All grains	Pilsner, lager	Soave, gavi, pinot grigio	Green tea
All grains	Bock	Cabernet sauvignon, syrah, petite syrah, port	
Oats	Lager	Sweet red wines	All teas, coffee
Brown rice, millet, oats	Wheat beers	Viognier, zinfandel	Coffee
		Zinfandel, Amarone	All teas
Brown rice, all grains		All bold red wines	All teas, coffee

Spices	Vegetable	Fruit	Protein	
Sage	Beet, carrot, kohlrabi, leek, mushrooms, potato, pumpkin, sweet potato, winter squash, yam, zucchini	Citrus, plum	Fish, nuts	
Thyme	Artichoke, beet, broccoli, cauliflower, mushrooms, tomato, zucchini	Cherries, citrus, grapes (red and purple)	All protein sources	
Turmeric	Beet, Brussels sprouts, carrot, cauliflower, mushrooms, potato, sweet potato, yam	Berries, citrus	Black-eyed peas, lentils, nuts	
Wasabi	Cucumber, leafy greens, potato, root vegetables		Fish, nuts	

	Grain	Craft Beer	Wine	Tea
	All grains	Saison	Riesling	Green tea
	Brown rice, millet, oats	Saison	Pinot noir, zweigelt	Green tea
	All grains	IPA	Chardonnay, Sémillon	All teas
	Brown rice	Pilsner, wheat beers	Chenin blanc	

Appendix A
Tips for a Healthy Lifestyle

The diet we eat is considered a modifiable risk factor for the development of Alzheimer's disease. Modifiable risks are the lifestyle hazards we actually have control over, such as the decision to eat brain-healthy foods or follow a meat-sweet diet. While dietary changes are key, lifestyle is also very important for the maintenance of a healthy mind. Sleep, stress management, and exercise are also modifiable risk factors for the prevention of this debilitating disease. Consider making changes in these areas to promote your overall healthy lifestyle.

Good Sleep

If you toss and turn all night, go to bed late and get up early, or find yourself so tired during the day that you are irritable and unproductive, you may not be getting the kind of sleep your brain needs. We spend a third of our lives asleep (or we should), yet we don't give sleep the credit it deserves.

Over the years, a number of studies have linked sleep patterns to cognition and Alzheimer's disease. Individuals with known sleep disorders have a higher likelihood of developing dementia, and those with dementia have more sleep disturbances. Research from Johns Hopkins University showed an increase in amyloid protein and plaques (damaging buildup found in Alzheimer's patients leading to decreased cognition and brain shrinkage) in the brains of

patients reporting the most sleep disturbances. Studies are ongoing to help determine if poor sleep causes amyloid deposition or if amyloid plaques disrupt sleep. In some patients with sleep issues, chamomile tea or melatonin can be helpful supplements.

Sleep tips:

- Sleep 7 to 8 hours a night.
- Limit daytime naps to 30 minutes.
- Exercise daily to promote good-quality sleep—but exercising right before bedtime might disrupt sleep, so plan to get your steps in early.
- Steer clear of foods known to disrupt sleep: Rich foods, fatty foods, spicy foods, citrus, and carbonated beverages may disrupt a good night's sleep.
- Avoid caffeinated beverages in the evenings. If you drink alcohol, do so in moderation for the best sleep outcome.
- Certain foods, especially those high in magnesium, calcium, potassium, and vitamin B_6, may help promote good sleep. Many foods in this guidebook are chock-full of these nutrients. Some examples of foods you can eat at the evening meal or have as a light bedtime snack on occasion include tart cherries, plantains or bananas, fish, jasmine brown rice, and yogurt (or warm milk like your grandmother used). Also, chamomile tea has been used for centuries to induce sleep.
- Expose yourself to a good dose of natural light during the day to maintain a healthy sleep-wake cycle.
- Establish relaxing bedtime routines. This may include taking a hot bath or reading.

- Minimize noise (unless it's white noise from a humidifier or fan), bright lights, and electronic screens. It is a good idea to put your phone and other digital devices out of sight and out of reach.
- A comfortable bed and pillow also make a world of difference in promoting great sleep.

Stress Management

Did you know that stress, worry, and anxiety may disrupt normal brain function and increase your risk for Alzheimer's disease? While we don't want this news to stress you out, it might be time to take control of your life and reduce the stress.

Cortisol is a life-sustaining hormone produced by the adrenal glands. It is released in times of stress and is a positive mechanism that helps us cope. However, when stress is long-lasting or chronic, the ongoing production of cortisol affects the memory and learning center in the hippocampus region of the brain. The hippocampus shrinks when cortisol levels stay high, and as a result this impor-tant part of the brain cannot do its job. The long-term result can be devastating—memory loss and perhaps Alzheimer's dementia.

Many ways exist to limit life's stressors. Avoiding stressful situa-tions is ideal, and it is important to try to do this whenever possible. Meditation, yoga, breathing sequences, exercise, prayer, and daily affirmations are some ways to deal with stress. Eating a diet built around brain-healthy foods and getting great sleep are crucial as well. Remember that stress reduction does not happen overnight; if you incorporate things like meditation into your daily routine, the positive effects are cumulative and will result in a decreased risk of Alzheimer's disease and a more serene you.

Appendix B
Glossary

Alzheimer's disease: The most common form of neurodegenerative disorder affecting memory, thinking, and behavior. It is characterized by the gradual loss of neurons and synapses in the brain and eventually leads to death.

anti-inflammatory: Reducing or counteracting inflammation.

antioxidants: Various substances that inhibit cell oxidation or reactions promoted by oxidizing agents in a living organism.

brain health: The brain's ability to perform all the mental processes collectively known as cognition, including learning ability, intuition, judgment, language, and memory.

brain response time: Skill and knowledge to acquire factual information, often in a time period that can be measured. Also known as cognitive response.

carotenoids: The various yellow, orange, red, and green pigments found in many fruits and vegetables. The two main types are carotenes and xanthophylls. Carotenes are typically yellow and orange, and beta-carotene is a well-known carotene in foods such as carrots, spinach, and apricots.

cell regeneration: The process of renewal, restoration, and growth that makes cells resilient to natural fluctuations or events that cause disturbance or damage.

cognitive function: An intellectual process by which one becomes aware of, perceives, or comprehends ideas. It involves all aspects of perception, thinking, reasoning, and remembering.

flavonoids: A group of plant metabolites thought to provide health benefits through cell signaling pathways and antioxidant effects. Examples are isoflavonoids, anthoxanthins, and anthocyanins.

free radicals: These are molecules with unpaired electrons. They rob other cells of electrons, causing damage and contributing toward many diseases.

gray matter: Nerve tissue, especially of the brain and spinal cord, that contains fibers and nerve cell bodies and is dark reddish-gray.

homocysteine: An amino acid produced by the body if elevated is a marker measured in the blood for cardiovascular disease and increased risk of Alzheimer's disease.

ketosis: A metabolic process that occurs when the body does not have enough glucose for energy. This causes stored fat to be broken down for energy, resulting in a buildup of acids, called ketones, within the body.

memory: The ability of the mind to store and remember information.

mental clarity: A state of emotional and psychological well-being in which an individual is able to use his or her cognitive and emotional capabilities, function in society, and meet the ordinary demands of everyday life.

nerve function: The ability of a bundle of nerves to use electrical and chemical signals to transmit sensory and motor information from one body part to another.

omega-3 fatty acids: A class of essential fatty acids needed in the human body. The body cannot produce them on its own, so they must be obtained from the diet. There are three main types of omega-3 fatty acids: ALA, DHA, and EPA.

oxidation: The process of eroding electrons. For example, when metal rusts, oxygen is stealing electrons from iron. Oxygen levels are reduced while iron in cells is oxidized.

phytochemicals: Non-nutritive plant chemicals that have protective or disease-preventive properties and are often responsible for the plant's color. Also called phytonutrients.

Beydoun, M. A., Kaufman, J. S., Satia, J. A., Rosamond, W., Folsom, A. R. (2007). Plasma n-3 fatty acids and the risk of cognitive decline in older adults: the atherosclerosis risk in communities study. *American Journal of Clinical Nutrition, 85,* 1103–1111.

Bhagavan, H. N., Chopra, R. K. (2006). Coenzyme Q10: absorption, tissue uptake, metabolism and pharmacokinetics. *Free Radical Research, 40,* 445–453.

Bharadwaj, P. R., Bates, K. A., Porter, T., Teimouri, E., Perry, G., Steele, J. W. . . . Verdile, G. (2013). Latrepirdine: molecular mechanisms underlying potential therapeutic roles in Alzheimer's and other neurodegenerative diseases. *Translational Psychiatry, 3,* e332.

Blackwell, T., Yaffe, K., Ancoli-Israel, S., Redline, S., Ensrud, K. E., Stefanick, M. L. . . . Stone, K. L. (2011). Association of sleep characteristics and cognition in older community-dwelling men: the MrOS sleep study. *Sleep, 34,* 1347–1356.

Blueberries. (n.d.). Retrieved January 11, 2017, from www.whfoods.com /genpage.php?tname=foodspice&dbid=8.

Blumberg, J., Heaney, R. P., Huncharek, M., Scholl, T., Stampfer, M., Vieth, R. . . . Zeisel, S. H. (2010). Evidence-based criteria in the nutritional context. *Nutritional Review, 68,* 478–484.

Bourdel-Marchasson, I., Delmas-Beauviex, M. C., Peuchant, E., Richard-Harston, S., Decamps, A., Regnier, B. . . . Rainfray, M. (2001). Antioxidant defenses and oxidative stress markers in erythrocytes and plasma from normally nourished elderly Alzheimer patients. *Age and Ageing, 30*(3), 235–241.

Bowman G. L. (2012). Ascorbic acid, cognitive function, and Alzheimer's disease: a current review and future direction. *Biofactors, 38,* 114–122.

Bredesen, D. E. (2014). Reversal of cognitive decline: a novel therapeutic program. *Aging. 6*(9), 707–717.

Brewer, G. J. (2009). The risks of copper toxicity contributing to cognitive decline in the aging population and Alzheimer's disease. *Journal of the American College of Nutrition, 28,* 238–242.

Broccoli. (n.d.). Retrieved January 10, 2017, from www.whfoods.com
/genpage.php?tname=foodspice&dbid=9.

Brookmeyer, R., Johnson, E., Ziegler-Graham, K., Arrighi, H. M. (2007).
Forecasting the global burden of Alzheimer's disease. *Alzheimers &*
Dementia, 3, 186–191.

Cabbage nutrition facts and health benefits. (n.d.). Retrieved January 10,
2017, from www.nutrition-and-you.com/cabbage.html.

Can spinach reduce the risk of dementia? (2015, April 24). Retrieved
January 10, 2017, from www.alzheimers.net/4-29-15-spinach
-reduces-dementia-risk/.

Cardoso, B. R., Cominetti, C., Cozzolino, S. M. (2013). Importance
and management of micronutrient deficiencies in patients with
Alzheimer's disease. *Journal of Clinical Interventions in Aging, 8*,
531–542.

Certain foods may protect against Alzheimer's disease. (2010).
Retrieved January 10, 2017, from www.alzinfo.org/articles
/certain-foods-may-protect-against-alzheimers-disease-2.

Choi, D. Y., Lee, Y. J., Hong, J. T., Lee, H. J. (2012). Antioxidant properties
of natural polyphenols and their therapeutic potentials
for Alzheimer's disease. *Brain Research Bulletin, 87*(2–3), 144–153.

Coconut oil. (n.d.). Retrieved March 9, 2017, from https://www.alzheimers
.org.uk/info/20074/alternative_therapies/119/coconut_oil.

Coconut oil nutrition facts and health benefits. (n.d.). Retrieved
January 13, 2017, from www.nutrition-and-you.com/coconut-oil.html.

Cognitive function. (2017, January 3). Retrieved January 10, 2017,
from http://lpi.oregonstate.edu/mic/health-disease
/cognitive-function#memory.

Cooking with spices: lavender. (n.d.). Retrieved March 9, 2017, from
www.drweil.com/diet-nutrition/cooking-cookware/cooking-with
-spices-lavender/.

Cooper, J. K. (2014). Nutrition and the brain: what advice should we give? *Neurobiology of Aging, 35,* S79–S83.

Cordain, L., Eaton, S. B., Sebastian, A., Mann, N., Lindeberg, S., Watkins, B. A. . . . Brand-Miller, J. (2005). Origins and evolution of the Western diet: health implications for the 21st century. *American Journal of Clinical Nutrition, 81,* 341–354.

Corona, C., Masciopinto, F., Silvestri, E., Viscovo A.D., Lattanzio, R., Sorda, R. L. . . . Sensi, S. L. (2010). Dietary zinc supplementation of 3xTg-AD mice increases BDNF levels and prevents cognitive deficits as well as mitochondrial dysfunction. *Cell Death & Disease, 1,* e91.

Could cabbage and broccoli help in the fight against Alzheimer's? (n.d.). Retrieved January 10, 2017, from www.urmc.rochester.edu/research /blog/april-2014/could-cabbage-and-broccoli-help-in-the-fight -again.aspx.

Craft, S., Cholerton, B., Baker, L. D. (2013). Insulin and Alzheimer's disease: untangling the web. *Journal of Alzheimer's Disease, 33* (Supplement 1), S263–S275.

Crapper, D. R., Kishnan, S. S., Dalton, A. J. (1973). Brain aluminum distribution in Alzheimer's disease and experimental neurofibrillary degeneration. *Science, 180,* 511–513.

Cunnane, S., Nugent, S., Roy, M., Courchesne-Loyer, A., Croteau, E., Tremblay S. . . . Rapoport, S. I. (2011). Brain fuel metabolism, aging, and Alzheimer's disease. *Nutrition, 27,* 3–20.

Dangour, A. D., Whitehouse, P. J., Rafferty, K., Mitchell, S. A., Smith, L., Hawkesworth, S., Vellas B. (2010). B-vitamins and fatty acids in the prevention and treatment of Alzheimer's disease and dementia: a systematic review. *Journal of Alzheimer's Disease, 22,* 205–224.

Daviglus, M. L., Plassman, B. L., Pirzada, A., Bell, C. C., Bowen, P. E., Burke, J. R. . . . Williams, J. W. Jr. (2011). Risk factors and preventive interventions for Alzheimer disease: state of the science. *Archives of Neurology, 68,* 1185–1190.

Davinelli, S., Sapere, N., Zella, D., Bracale, R., Intrieri, M., Scapagnini, G. (2012). Pleiotropic protective effects of phytochemicals in Alzheimer's disease. *Oxidative Medicine and Cellular Longevity*, 386527.

de Jager, C. A., Oulhaj, A., Jacoby, R., Refsum, H., Smith, A. D. (2012). Cognitive and clinical outcomes of lowering homocysteine-lowering B-vitamin treatment in mild cognitive impairment: a randomized controlled trial. *International Journal of Geriatric Psychiatry, 27*, 592–600.

de la Monte, S. M., Tong, M. (2014). Brain metabolic dysfunction at the core of Alzheimer's disease. *Biochemical Pharmacology, 88*, 548–559.

DeDea, L. (2012). Can coconut oil replace caprylidene for Alzheimer disease? *Journal of the American Academy of Physician Assistants, 25*, 19.

DeFina, L. F., Willis, B. L., Radford, N. B., Gao, A., Leonard, D., Haskell, W. . . . Berry, J. D. (2013). The association between midlife cardiorespiratory fitness levels and later-life dementia. A cohort study. *Annals of Internal Medicine, 158*, 162–168.

DeKosky, S. T., Williamson, J. D., Fitzpatrick, A. L., Kronmal, R. A., Ives, D. G., Saxton, J. A. . . . Furberg, C. D. (2008). Ginkgo biloba for prevention of dementia: a randomized controlled trial. *Journal of the American Medical Association, 300*, 2253–2262.

Devore, E. E., Goldstein, F., van Rooij, F. J., Hofman, A., Stampfer, M. J., Witteman, J. C., Breteler, M. M. (2010) Dietary antioxidants and long-term risk of dementia. *Archives of Neurology, 67*(7), 819–825.

Diabetes and Alzheimer's linked. (2016). Retrieved January 10, 2017, from www.mayoclinic.org/diseases-conditions/alzheimers-disease/in-depth/diabetes-and-alzheimers/art-20046987.

Diet and Alzheimer's disease. (n.d.). Retrieved March 9, 2017, from www.pcrm.org/health/health-topics/diet-and-alzheimers-disease.

Diet and Alzheimer's disease: what the evidence shows. (2017). Retrieved January 10, 2017, from www.medscape.com/viewarticle/466037.

Diet and the brain. (n.d.). Retrieved March 9, 2017, from www.hbo.com
/alzheimers/science-diet-and-the-brain.html.

Don't skip strawberries! (2016). Retrieved March 9, 2017, from
wexnermedical.osu.edu/blog/dietitian-weighs-in-on-dirty-dozen
-fruits-and-vegetables.

Douaud, G., Refsum, H., de Jager, C. A., Jacoby, R., Nichols, T. E., Smith,
S. M., Smith, A. D. (2013). Preventing Alzheimer's disease-related gray
matter atrophy by B-vitamin treatment. *Proceedings of the National
Academy of Sciences, 110,* 9523–9528.

Dysken, M. W., Sano, M., Asthana, S., Vertrees, J. E., Pallaki, M., Llorente,
M., Guarino, P. D. (2014). Effect of vitamin E and memantine
on functional decline in Alzheimer disease: the TEAM-AD VA
cooperative randomized trial. *Journal of the American Medical
Association, 311,* 33–44.

Eat grapes as part of a healthy Alzheimer's Diet. (2016, June 4). Retrieved
January 11, 2017, from http://theadplan.com/alzheimersdietblog
/alzheimers-diet-2/eat-grapes-as-part-of-a-healthy-alzheimers-diet/.

Eating more whole grains linked with lower mortality rates. (2016).
Retrieved March 9, 2017, from www.hsph.harvard.edu/news
/press-releases/whole-grains-lower-mortality-rates/.

Erickson, K. I., Weinstein, A. M., Lopez, O. L. (2012). Physical activity,
brain plasticity, and Alzheimer's disease. *Archives of Medical Research,
43,* 615–621.

Falkingham, M., Abdelhamid, A., Curtis, P., Fairweather-Tait, S., Dye, L.,
and Hooper, L. (2010). The effects of oral iron supplementation on
cognition in older children and adults: a systematic review and meta-
analysis. *Nutrition Journal, 9*(1, article 4)

Fang, L., Gou, S., Liu, X., Cao, F., Cheng, L. (2014). Design, synthesis
and anti-Alzheimer properties of dimethylaminomethyl-substituted
curcumin derivatives. *Bioorganic & Medicinal Chemistry Letters,
24,* 40–43.

Farro perlato (triticum dicoccum) (Emmer wheat?) nutrition facts & calories. (n.d.). Retrieved January 11, 2017, from http://nutritiondata.self.com/facts/custom/3236857/2.

Feart, C., Samieri, C., Barberger-Gateau, P. (2010). Mediterranean diet and cognitive function in older adults. *Current Opinion in Clinical Nutrition and Metabolic Care, 13,* 14–18.

Federation of American Societies for Experimental Biology. (2015, March 30). Eating green leafy vegetables keeps mental abilities sharp. Retrieved January 10, 2017, from www.sciencedaily.com /releases/2015/03/150330112227.htm.

Filipcik, P., Cente, M., Ferencik, M., Hulin, I., Novak, M. (2006). The role of oxidative stress in the pathogenesis of Alzheimer's disease. *Bratislavské Lekárske Listy, 107,* 384–394.

Fish, flaxseed may lower Alzheimer's risk. (n.d.). Retrieved January 12, 2017, from www.webmd.com/alzheimers/news/20120502 /fish-flaxseed-may-lower-alzheimers-risk#1.

Fish: friend or foe? (n.d.). Retrieved March 9, 2017, from www.hsph .harvard.edu/nutritionsource/fish/#1.

Fisher, N. D., Sorond, F. A., Hollenberg, N. K. (2006). Cocoa flavanols and brain perfusion. *Journal of Cardiovascular Pharmacology, 47,* (Supplement 2), S210.

Flavonoids, cognition, and dementia: actions, mechanisms, and potential therapeutic utility for Alzheimer disease. (n.d.). Retrieved January 11, 2017, from www.ncbi.nlm.nih.gov/pubmed/21982844.

Freund-Levi, Y., Eriksdotter-Jönhagen, M., Cederholm, T., Basun, H., Faxén-Irving, G., Garlind, A. . . . Palmblad, J. (2006). Omega-3 fatty acid treatment in 174 patients with mild to moderate Alzheimer disease: OmegAD study: a randomized double-blind trial. *Archives of Neurology, 63,* 1402–1408.

Frisardi, V., Solfrizzi, V., Seripa, D., Capurso, C., Santamato, A., Sancarlo, D. . . . Panza, F. (2010). Metabolic-cognitive syndrome: a cross-talk between metabolic syndrome and Alzheimer's disease. *Ageing Research Reviews, 9,* 399–417.

Galasko, D. R., Peskind, E., Clark, C. M., Quinn, J. F., Ringman, J. M., Jicha, G. A. . . . Aisen, P. (2012). Antioxidants for Alzheimer disease: a randomized clinical trial with cerebrospinal fluid biomarker measures. *Archives of Neurology, 69*(7), 836–841.

Garbanzo beans (chickpeas). (n.d.). Retrieved January 11, 2017, from www.whfoods.com/genpage.php?tname=foodspice&dbid=58.

Gillette-Guyonnet, S., Secher, M., Vellas, B. (2013). Nutrition and neurodegeneration: epidemiological evidence and challenges for future research. *British Journal of Clinical Pharmacology, 75*(3), 738–755.

Gillette-Guyonnet, S., Vellas, B. (2008). Caloric restriction and brain function. *Current Opinion in Clinical Nutrition and Metabolic Care, 11,* 686–692.

Ginger. (n.d.). Retrieved January 11, 2017, from www.whfoods.com /genpage.php?tname=foodspice&dbid=72.

Greger, M., M.D. (2015, January 26). NutritionFacts.org. Retrieved January 12, 2017, from http://nutritionfacts.org/topics/flax-seeds/.

Guan, J. Z., Guan, W. P., Maeda, T., Makino, N. (2011). Effect of vitamin E administration on the elevated oxygen stress and the telomeric and subtelomeric status in Alzheimer's disease. *Gerontology, 58*(1), 62–69.

Harrison, F. E. (2012). A critical review of vitamin C for the prevention of age-related cognitive decline and Alzheimer's disease. *Journal of Alzheimer's Disease, 29*(4), 711–726.

Health benefits of millet (a gluten-free grain from India). Retrieved January 11, 2017, from www.healwithfood.org/health-benefits /millet-grain-gluten-free.php.

Health food trends—beans and legumes. (n.d.). Retrieved March 9, 2017, from medlineplus.gov/ency/patientinstructions/000726.htm.

Health properties of tomatoes. (n.d.). Retrieved January 10, 2017, from www.webmd.com/food-recipes/features /health-properties-tomatoes#1.

Hebert, L. E., Weuve, J., Scherr, P. A., Evans, D. A. (2013). Alzheimer disease in the United States (2010–2050) estimated using the 2010 census. *Neurology, 80,* 1778–1783.

Henderson, S. T., Vogel, J. L., Barr, L. J., Garvin, F., Jones, J. J., Costantini, L. C. (2009). Study of the ketogenic agent AC-1202 in mild to moderate Alzheimer's disease: a randomized, double-blind, placebo-controlled, multicenter trial. *Nutrition & Metabolism (London) 6,* 31.

Heude, B., Ducimetière, P., Berr, C. (2003). Cognitive decline and fatty acid composition of erythrocyte membranes—the EVA Study. *American Journal of Clinical Nutrition, 77,* 803–808.

Ho, L., Chen, L. H., Wang, J., Zhao, W., Talcott, S. T., Ono, K. . . . Pasinetti, G. M. (2009). Heterogeneity in red wine polyphenolic contents differentially influences Alzheimer's disease-type neuropathology and cognitive deterioration. *Journal of Alzheimer's Disease, 16*(1), 59–72.

Hotting, K., Roder, B. (2013). Beneficial effects of physical exercise on neuroplasticity and cognition. *Neuroscience & Biobehavioral Reviews, 9,* 2243–2257.

How citrus fruit helps with Alzheimer's prevention. (2016, September 5). Retrieved January 11, 2017, from http://theadplan.com /alzheimersdietblog/alzheimers-prevention-2/how-citrus-fruit -helps-with-alzheimers-prevention/.

How vitamin K is good for the brain and Alzheimer's prevention. (2016, August 16). Retrieved January 10, 2017, from www.alzheimers.net/2014-07-09/vitamin-k-alzheimers-prevention/.

Hu, N., Yu, J. T., Tan, L., Wang, Y. L., Sun, L., Tan, L. (2013). Nutrition and the risk of Alzheimer's disease. *Biomed Research International,* 524820.

The impact of supplemental macular carotenoids in Alzheimer's disease: a randomized clinical trial. (n.d.). Retrieved January 10, 2017, from www.ncbi.nlm.nih.gov/pubmed/25408222.

Inflammation in Alzheimer's disease: relevance to pathogenesis and therapy. (2010). Retrieved January 10, 2017, from www.ncbi.nlm.nih.gov/pmc/articles/PMC2874260/.

Is sleep a modifiable risk factor for Alzheimer's disease? (2015). Retrieved March 9, 2017, from www.asaging.org/blog /sleep-modifiable-risk-factor-alzheimers-disease.

Isaacson, R. S., Ochner, C. N. (2016). *The Alzheimer's prevention & treatment diet: using nutrition to combat the effects of Alzheimer's disease.* Garden City Park, NY: Square One Publishers, Inc.

Jicha, G. A., Carr, S. A. (2010). Conceptual evolution in Alzheimer's disease: implications for understanding the clinical phenotype of progressive neurodegenerative disease. *Journal of Alzheimer's Disease, 19,* 253–272.

Jicha, G. A., Markesbery, W. R. (2010). Omega-3 fatty acids: potential role in the management of early Alzheimer's disease. *Journal of Clinical Interventions in Aging, 5,* 45–61.

Jimenez-Jimenez, F. J., Molina, J. A., de Bustos, F., Orti-Pareja, M., Benito-Leon, J., Tallon-Barranco, A. . . . Arenas, J. (1999). Serum levels of beta-carotene, alpha-carotene and vitamin A in patients with Alzheimer's disease. *European Journal of Neurology, 6*(4), 495–497.

Jones, Q. R., Warford, J., Rupasinghe, H. P., Robertson, G. S. (2012). Target-based selection of flavonoids for neurodegenerative disorders. *Trends in Pharmacological Sciences, 33*(11), 602-610.

Kamphuis, P. J., Scheltens, P. (2010). Can nutrients prevent or delay onset of Alzheimer's disease? *Journal of Alzheimer's Disease, 20,* 765–775.

Kamphuis, P. J., Verhey, F. R., Olde Rikkert, M. G., Twisk, J. W., Swinkels, S. H., Scheltens, P. (2011). Efficacy of a medical food on cognition in Alzheimer's disease: results from secondary analyses of a randomized, controlled trial. *The Journal of Nutrition Health and Aging, 15,* 720–724.

Kaneai, N., Arai, M., Takatsu, H., Fukui, K., Urano, S. (2012). Vitamin E inhibits oxidative stress-induced denaturation of nerve terminal proteins involved in neurotransmission. *Journal of Alzheimer's Disease, 28*(1), 183–189.

Kang, J. H., Ascherio, A., Grodstein, F. (2005). Fruit and vegetable consumption and cognitive decline in aging women. *Annals of Neurology, 57,* 713–720.

Kashiwaya, Y., Bergman, C., Lee, J. H., Wan, R., King, M. T., Mughal, M. R. . . . Veech, R. L. (2013). A ketone ester diet exhibits anxiolytic and cognition-sparing properties, and lessens amyloid and tau pathologies in a mouse model of Alzheimer's disease. *Neurobiology of Aging, 34,* 1530–1539.

Katz, R., Edelson, M. (2015). *The healthy mind cookbook.* Berkeley, CA: Ten Speed Press.

Kent, K., Charlton, K., Roodenrys, S., Batterham, M., Potter, J., Traynor, V. . . . Richards, R. (2015). Consumption of anthocyanin-rich cherry juice for 12 weeks improves memory and cognition in older adults with mild-to-moderate dementia. *European Journal of Nutrition, 56*(1):333-341.

Khanna, S., Parinandi, N. L., Kotha, S. R., Roy, S., Rink, C., Bibus, D., Sen, C. K. (2010). Nanomolar vitamin E α-tocotrienol inhibits glutamate-induced activation of phospholipase A2 and causes neuroprotection. *Journal of Neurochemistry, 112*(5), 1249–1260.

Knopman, D. S., DeKosky, S. T., Cummings, J. L., Chui, H., Corey-Bloom, J., Relkin N., Stevens, J. C. (2001). Practice parameter: diagnosis of dementia (an evidence-based review). Report of the Quality Standards Subcommittee of the American Academy of Neurology. *Neurology, 56,* 1143–1153.

Kryscio, R. J., Abner, E. L., Schmitt, F. A., Goodman, P. J., Mendiondo, M., Caban-Holt, A. . . . Crowley, J. J. (2013). A randomized controlled Alzheimer's disease prevention trial's evolution into an exposure trial: the PREADViSE trial. *The Journal of Nutrition Health and Aging, 17,* 72–75.

Laitinen, M. H., Ngandu, T., Rovio, S., Helkala, E. L., Uusitalo, U., Viitanen, M. . . . Kivipelto, M. (2006). Fat intake at midlife and risk of dementia and Alzheimer's disease: a population-based study. *Dementia and Geriatric Cognitive Disorders, 22,* 99–107.

Lau, F. C., Shukitt-Hale, B., Joseph, J. A. (2007). Nutritional intervention in brain aging: reducing the effects of inflammation and oxidative stress. *Sub-cellular Biochemistry, 42,* 299–318.

Lee, J. G., Yon, J. M., Lin, C., Jung, A.Y., Jung, K.Y., Nam, S. Y. (2012). Combined treatment with capsaicin and resveratrol enhances neuroprotection against glutamate-induced toxicity in mouse cerebral cortical neurons. *Food Chemical Toxicology, 50*(11), 3877–3885.

Lemon/limes. (n.d.). Retrieved January 11, 2017, from www.whfoods.com /genpage.php?tname=foodspice&dbid=27.

Lopes da Silva, S., Vellas, B., Elemans, S., Luchsinger, J., Kamphuis, P., Yaffe, K. . . . Stijnen, T. (2014). Plasma nutrient status of patients with Alzheimer's disease: systematic review and meta-analysis. *Alzheimer's & Dementia, 10,* 485–502.

Luchsinger, J. A., Tang, M. X., Shea, S., Mayeux, R. (2002). Caloric intake and the risk of Alzheimer's disease. *Archives of Neurology, 59,* 1258–1263.

Malaguarnera, M., Ferri, R., Bella, R., Alagona, G., Carnemolla, A., Pennisi, G. (2004). Homocysteine, vitamin B_{12} and folate in vascular dementia and in Alzheimer disease. *Clinical Chemistry and Laboratory Medicine, 42,* 1032–1035.

Mango fruit nutrition facts and health benefits. (n.d.). Retrieved January 11, 2017, from www.nutrition-and-you.com/mango-fruit.html.

Martínez-Lapiscina, E. H., Clavero, P., Toledo, E., Estruch, R., Salas-Salvado, J., San Julian, B. . . . Martinez-Gonzalez, M. A. (2013). Mediterranean diet improves cognition: the PREDIMED-NAVARRA randomized trial. *Journal of Neurology, Neurosurgery and Psychiatry, 84*(12), 1318–25.

Masse, I., Bordet, R., Deplanque, D., Al Khedr, A., Richard, F., Libersa, C. . . . Pasquier, F. (2005). Lipid lowering agents are associated with a slower cognitive decline in Alzheimer's disease. *Journal of Neurology, Neurosurgery and Psychiatry, 76,* 1624–1629.

Mateljan, G. (2015). *The world's healthiest foods* (2nd ed.). New York: GMF Publishing.

Mayer, E. A., Knight, R., Mazmanian, J. F., Cryan, J. F., Tillisch, K. (2014). Gut microbes and the brain: paradigm shift in neuroscience. *Neuroscience, 34*(46), 15490–15496.

Medium chain triglycerides. (2016, April 28). Retrieved January 12, 2017, from www.alzdiscovery.org/cognitive-vitality/ratings /medium-chain-triglycerides.

Mielke, M. M., Prashanthi, V., Rocca, W. A. (2014). Clinical epidemiology of Alzheimer's disease: assessing sex and gender differences. *Clinical Epidemiology, 6,* 37–48.

Miller, E. R. III, Pastor-Barriuso, R., Dalal, D., Riemersma, R. A., Appel, L. J., Guallar, E. (2005). Meta-analysis: high-dosage vitamin E supplementation may increase all-cause mortality. *Annals of Internal Medicine, 142,* 37–46.

Millet. (n.d.). Retrieved January 11, 2017, from www.whfoods.com /genpage.php?tname=foodspice&dbid=53.

Monti, M. C., Margarucci, L., Tosco, A., Riccio, R., Casapullo, A. (2011). New insights on the interaction mechanism between tau protein and oleocanthal, an extra-virgin olive-oil bioactive component. *Food & Function, 2,* 423–428.

Morris, M. C., Evans, D. A., Tangney, C. C., Bienias, J. L., Schneider, J. A., Wilson, R. S., Scherr, P. A. (2006). Dietary copper and high saturated and trans fat intakes associated with cognitive decline. *Archives of Neurology, 63,* 1085–1088.

Morris, M. C., Evans, D. A., Tangney, C. C., Bienias, J. L., Wilson, R. S. (2006). Associations of vegetable and fruit consumption with age-related cognitive change. *Neurology, 67,* 1370–1376.

Morris, M. C., Evans, D. A., Tangney, C. C., Bienias, J. L., Wilson, R. S., Aggarwal, N. T., Scherr, P. A. (2005). Relation of the tocopherol forms to incident Alzheimer disease and cognitive change. *American Journal of Clinical Nutrition, 81,* 508–514.

Morris, M. C., Tangney, C. C. (2014). Dietary fat composition and dementia risk. *Neurobiology of Aging, 35*(2), S59–S64.

Morris, M. D., Schneider, J. A., Tangney. (2006). Thoughts on B-vitamins and dementia. *Journal of Alzheimers Disease, 9*(4); 429–433.

Morris, M. S. (2002). Folate, homocysteine, and neurological function. *Nutrition in Clinical Care, 5*(3), 124–132.

Morris, M. S. (2003). Homocysteine and Alzheimer's disease. *The Lancet Neurology, 2,* 425–428.

Morris, M. S. (2012). The role of B vitamins in preventing and treating cognitive impairment and decline. *Advances in Nutrition, 3,* 801–812.

Mythri, R. B., Bharath, M. M. (2012). Curcumin: a potential neuroprotective agent in Parkinson's disease. *Current Pharmaceutical Design, 18*(1), 91–99.

Napa Cabbage. (2015, January 23). Retrieved January 10, 2017, from awomanshealth.com/napa-cabbage/.

Neal, B. N. (2014). Dietary and lifestyle guidelines for the prevention of Alzheimer's disease. *Neurobiology of Aging, 35,* S74–S78.

Nishida, Y., Yokota, T., Takahashi, T., Uchihara, T., Jishage, K., Mizusawa, H. (2006). Deletion of vitamin E enhances phenotype of Alzheimer disease model mouse. *Biochemical and Biophysical Research Communications, 350,* 530–536.

Nutmeg nutrition facts, medicinal properties and health benefits. (n.d.). Retrieved January 11, 2017, from www.nutrition-and-you.com /nutmeg.html.

Nutrition. (n.d.). Retrieved January 11, 2017, from www.californiaavocado .com/nutrition.

Nutrition and prevention of Alzheimer's dementia. (2014). Retrieved January 10, 2017, from www.ncbi.nlm.nih.gov/pmc/articles /PMC4202787/.

Obrenovich, M. E., Nair, N. G., Beyaz, A., Aliev, G., Reddy, V. P. (2010). The role of polyphenolic antioxidants in health, disease, and aging. *Rejuvenation Research, 13*(6), 631–643.

Okereke, O. I., Rosner, B. A., Kim, D. H., Kang, J. H., Cook, N. R., Manson, J. E. . . . Grodstein, F. (2012). Dietary fat types and 4-year cognitive change in community-dwelling older women. *Annals of Neurology, 72,* 124–134.

Olive oil, extra virgin. (n.d.). Retrieved January 13, 2017, from www.whfoods.com/genpage.php?tname=foodspice&dbid=132.

Olive oil: health benefits, nutritional information. (2016). Retrieved March 9, 2017, from www.medicalnewstoday.com /articles/266258.php.

Panza, F., Frisardi, V., Capurso, C., Imbimbo, B. P., Vendemiale, G., Santamato, A., Solfrizzi, V. (2010). Metabolic syndrome and cognitive impairment: current epidemiology and possible underlying mechanisms. *Journal of Alzheimer's Disease, 21,* 691–724.

Parsley nutrition facts and health benefits. (n.d.). Retrieved January 11, 2017, from www.nutrition-and-you.com/parsley.html.

Pasinetti, G. M., Eberstein, J. A. (2008). Metabolic syndrome and the role of dietary lifestyles in Alzheimer's disease. *Journal of Neurochemistry, 106,* 1503–14.

Pervaiz, S., Holme, A. L. (2009). Resveratrol: its biologic targets and functional activity. *Antioxidants & Redox Signaling, 11,* 2851–2897.

Plantains nutrition facts and health benefits. (n.d.). Retrieved January 11, 2017, from www.nutrition-and-you.com/plantains.html.

Pocernich, C. B., Lange, M. L., Sultana, R., Butterfield, D. A. (2011). Nutritional approaches to modulate oxidative stress in Alzheimer's disease. *Current Alzheimer Research, 8,* 452–469.

Presse, N., Belleville, S., Gaudreau, P., Greenwood, C. E., Kergoat, M. J., Morais, J. A. . . . Ferland, G. (2013). Vitamin K status and cognitive function in healthy older adults, *Neurobiology of Aging, 34*(12), 2777–2783.

Quinn, J. F., Raman, R., Thomas, R. G., Yurko-Mauro, K., Nelson, E. B., Van Dyck, C. . . . Aisen, P. S. (2010). Docosahexaenoic acid supplementation and cognitive decline in Alzheimer disease: a randomized trial. *Journal of the American Medical Assocation, 304,* 1903–1911.

Rafii, M. S., Walsh, S., Little, J. T., Behan, K., Reynolds, B., Ward, C. . . . Aisen, P. S. (2011). A phase II trial of huperzine A in mild to moderate Alzheimer disease. *Neurology, 76,* 1389–1394.

Ranking seafood: which fish are most nutritious? (n.d.). Retrieved March 9, 2017, from www.askdrsears.com/topics/feeding-eating /family-nutrition/fish/ranking-seafood-which-fish-are -most-nutritious.

Rao, A. V., Balachandran, B. (2002). Role of oxidative stress and antioxidants in neurodegenerative diseases. *Nutritional Neuroscience, 5,* 291–309.

Reger, M. A., Henderson, S. T., Hale, C., Cholerton, B., Baker, L. D., Watson, G. S. . . . Craft, S. (2004). Effects of beta-hydroxybutyrate on cognition in memory-impaired adults. *Neurobiology of Aging, 25,* 311–314.

Reynolds, E. H. (2002, June 22). Folic acid, ageing, depression, and dementia. Retrieved January 10, 2017, from www.ncbi.nlm.nih.gov/pmc/articles/PMC1123448/.

Ringman, J. M., Frautschy, S. A., Teng, E., Begum, A. N., Bardens, J., Beigi, M. . . . Cole, G. M. (2008). Oral curcumin for the treatment of mild-to-moderate Alzheimer's disease: tolerability and clinical and biomarker efficacy results of a placebo-controlled 24-week study. *Proceedings of the International Conference on Alzheimer's Disease.* Chicago, IL.

Rockwood, K. (2006). Epidemiological and clinical trials evidence about a preventive role for statins in Alzheimer's disease. *Acta Neurologica Scandinavica Supplement, 185,* 71–77.

Role of thiamine in Alzheimer's disease. (2011, December 26). Retrieved January 12, 2017, from www.ncbi.nlm.nih.gov/pubmed/22218733.

Rubio-Perez, J. M., Morillas-Ruiz, J. M. (2012). A review: inflammatory process in Alzheimer's disease, role of cytokines. *The Scientific World Journal, 756357,* 1–15.

Sailors' scurvy before and after James Lind—a reassessment. (n.d.). Retrieved January 11, 2017, from www.ncbi.nlm.nih.gov/pubmed/19519673.

Sangiorgio, M. (2016, August 11). Black currant: a natural tool to fight Alzheimer's. Retrieved January 11, 2017, from www.senioroutlooktoday.com/black-currant-a-natural-tool-to-fight-alzheimers/.

Sano, M., Bell, K. L., Galasko, D., Galvin, J. E., Thomas, R. G., van Dyck, C. H., Aisen, P. S. (2011). A randomized, double-blind, placebo-controlled trial of simvastatin to treat Alzheimer disease. *Neurology, 77,* 556–563.

Sano, M., Ernesto, C., Thomas, R. G., Klauber, M. R., Schafer, K., Grundman, M. . . . Thal, L. G. (1997). A controlled trial of selegiline, α-tocopherol, or both as treatment for Alzheimer's disease. The Alzheimer's Disease Cooperative Study. *New England Journal of Medicine, 336,* 1216–1222.

Saturated fat, regardless of type, linked with increased heart disease risk. (2016). Retrieved January 10, 2017, from www.hsph.harvard.edu /nutritionsource/2016/12/19/saturated-fat-regardless-of-type -found-linked-with-increased-heart-disease-risk/.

Scarmeas, N., Luchsinger, J. A., Mayeux, R., Stern, Y. (2007). Mediterranean diet and Alzheimer disease mortality. *Neurology, 69,* 1084–1093.

Scarmeas, N., Stern, Y., Tang, M. X., Mayeux, R., Luchsinger, J. A. (2006). Mediterranean diet and risk for Alzheimer's disease. *Annals of Neurology, 59,* 912–921.

Schrag, M., Mueller, C., Zabel, M., Crofton, A., Kirsch, W. M., Ghribi, O. . . . Perry, G. (2013). Oxidative stress in blood in Alzheimer's disease and mild cognitive impairment: a meta-analysis. *Neurobiology of Disease, 59,* 100–110.

The search for Alzheimer's prevention strategies. (2016). Retrieved January 10, 2017, from www.nia.nih.gov/alzheimers/publication /preventing-alzheimers-disease/search-alzheimers-prevention -strategies.

Seshadri, S., Beiser, A., Selhub, J., Jacques, P. F., Rosenberg, I. H., D'Agostino, R. B. . . . Wolf, P. A. (2002). Plasma homocysteine as a risk factor for dementia and Alzheimer's disease. *New England Journal of Medicine, 346,* 476–483.

Shah, R. (2013). The role of nutrition and diet in Alzheimer disease: a systematic review. *Journal of the American Medical Directors Association, 14,* 398–402.

Shah, R. C., Kamphuis, P. J., Leurgans, S., Swinkels, S. H., Sadowsky, C. H., Bongers, A. . . . Bennett, D. A. (2013). The S-Connect study: results from a randomized, controlled trial of Souvenaid in mild-to-moderate Alzheimer's disease. *Alzheimers Research & Therapy, 5,* 59.

Smith, A. D., Smith, S. M., de Jager, C. A., Whitbread, P., Johnston, C., Agacinski, G. . . . Refsum, H. (2010). Homocysteine-lowering by B vitamins slows the rate of accelerated brain atrophy in mild cognitive impairment: a randomized controlled trial. PLOS ONE, 5, e12244.

Smith, M. A., Zhu, X., Tabaton, M., Liu, G., McKeel, D. W. Jr., Cohen, M. L. . . . Perry, G. (2010). Increased iron and free radical generation in preclinical Alzheimer disease and mild cognitive impairment. *Journal of Alzheimer's Disease, 19*(1), 353–372.

Snitz, B. E., O'Meara, E. S., Carlson, M. C., Arnold, A. M., Ives, D. G., Rapp, S. R. . . . DeKosky, S. T. (2009). Ginkgo biloba for preventing cognitive decline in older adults: a randomized trial. *Journal of the American Medical Association, 302*, 2663–2670.

Sofi, F., Macchi, C., Abbate, R., Gensini, G. F., Casini, A. (2010). Effectiveness of the Mediterranean diet: can it help delay or prevent Alzheimer's disease? *Journal of Alzheimer's Disease, 20*, 795–801.

Solfrizzi, V., Panza, F., Frisardi, V., Seripa, D., Logroscino ,G., Imbimbo, B. P. . . . Pilotto, A. (2011). Diet and Alzheimer's disease risk factors or prevention: the current evidence. *Expert Review of Neurotherapeutics, 11*, 677–708.

Solfrizzi, V., Scafato, E., Capurso, C., D'Introno, A., Colacicco, A. M., Frisardi, V. . . . Panza, F. (2010). Metabolic syndrome and the risk of vascular dementia: the Italian Longitudinal Study on Ageing. *Journal of Neurology, Neurosurgery and Psychiatry, 81*, 433–440.

Spencer, J. P. (2009). Flavonoids and brain health: multiple effects underpinned by common mechanisms. *Genes & Nutrition, 4*(4), 243–250.

Stern, Y. (2012). Cognitive reserve in ageing and Alzheimer's disease. *The Lancet Neurology, 11*, 1006–1012.

Sulforaphane as a potential protective phytochemical against neurodegenerative diseases. (2013). Retrieved January 10, 2017, from http://theconversation.com/what-can-beagles-teach-us-about -alzheimers-disease-35588.

Swaminathan, A., Jicha, G. A. (2014). Nutrition and prevention of Alzheimer's dementia. *Frontiers in Aging Neuroscience, 6*, 282.

Szalay, J. (2016, April 25). Cauliflower: health benefits and nutrition facts. Retrieved January 5, 2016, from www.livescience.com /54552-cauliflower-nutrition.html.

Tara Gidus, MS, RD, CSSD, LD/N. (2012, February 22). (n.d.). Super food of the week: health benefits of plantains. Retrieved January 11, 2017, from www.healthline.com/health-blogs/diet-diva /health-benefits-plantains.

Thaipisuttikul, P., Galvin, J. E. (2012). Use of medical foods and nutritional approaches in the treatment of Alzheimer's disease. *Clinical Practice (London) 9,* 199–209.

Tucker, A. M., Stern, Y. (2011). Cognitive reserve in aging. *Current Alzheimer Research, 8,* 354–360.

Tworoger, S. S., Lee, S., Schernhammer, E. S., Grodstein, F. (2006). The association of self-reported sleep duration, difficulty sleeping, and snoring with cognitive function in older women. *Alzheimer Disease and Associated Disorders, 20,* 41–48.

University of Illinois Extension. (n.d.). Pumpkin nutrition. Retrieved January 12, 2017, from https://extension.illinois.edu/pumpkins /nutrition.cfm.

Vogel, T., Dali-Youcef, N., Kaltenbach, G., Andrès, E. (2009). Homocysteine, vitamin B_{12}, folate and cognitive functions: a systematic and critical review of the literature. *International Journal of Clinical Practice, 63,* 1061–1067.

Wang, Y., Yin, H., Wang, L., Shuboy, A., Lou, J., Han, B. . . . Li, J. (2013). Curcumin as a potential treatment for Alzheimer's disease: a study of the effects of curcumin on hippocampal expression of glial fibrillary acidic protein. *American Journal of Chinese Medicine, 41,* 59–70.

Ware, Megan. (2015, September 29). Cauliflower: health benefits, nutritional information. Retrieved January 10, 2017, from www .medicalnewstoday.com/articles/282844.php.

Ware, Megan. (2016, September 14). Chickpeas: health benefits, nutritional information. Retrieved January 11, 2017, from www.medicalnewstoday .com/articles/280244.php.

Ware, Megan. (2016, January 5). Ginger: health benefits, facts, research. Retrieved January 11, 2017, from www.medicalnewstoday.com /articles/265990.php.

Ware, Megan. (2015, October 21). Mangoes: health benefits, nutritional breakdown. Retrieved January 11, 2017, from www.medicalnewstoday .com/articles/275921.php.

Ware, Megan. (2016, February 16). Mint: health benefits, uses and risks. Retrieved January 11, 2017, from www.medicalnewstoday.com /articles/275944.php.

Ware, Megan. (2016, October 20). Watercress: health benefits and nutritional breakdown. Retrieved January 11, 2017, from www .medicalnewstoday.com/articles/285412.php.

Watercress nutrition facts. (n.d.). Retrieved March 9, 2017, from www.nutrition-and-you.com/watercress.html.

Weih, M., Wiltfang, J., Kornhuber, J. (2007). Non-pharmacologic prevention of Alzheimer's disease: nutritional and life-style risk factors. *Journal of Neural Transmission, 114,* 1187–1197.

What is black currant good for? (n.d.). Retrieved January 11, 2017, from http://foodfacts.mercola.com/black-currant.html.

What is your risk?—heredity and late-onset Alzheimer's disease. (2016). Retrieved January 10, 2017, from www.brightfocus.org/alzheimers /article/what-your-risk-heredity-and-late-onset-alzheimers-disease.

Wheeler, M. (2013, August 20). UCLA study suggests iron is at core of Alzheimer's disease. Retrieved January 11, 2017, from newsroom.ucla.edu/releases/ucla-study-suggests-that-iron-247864.

Williams, R. J., Spencer, J. P. (2012). Flavonoids, cognition, and dementia: actions, mechanisms, and potential therapeutic utility for Alzheimer disease. *Free Radical Biology and Medicine, 52*(1), 35–45.

Yaffe, K., Laffan, A. M., Harrison, S. L., Redline, S., Spira, A. P., Ensrud, K. E. . . . Stone, K. L. (2011). Sleep-disordered breathing, hypoxia, and risk of mild cognitive impairment and dementia in older women. *Journal of the American Medical Association, 306,* 613–619.

Yang, X., Dai, G., Li, G., Yang, E. S. (2010). Coenzyme Q10 reduces beta-amyloid plaque in an APP/PS1 transgenic mouse model of Alzheimer's disease. *Journal of Molecular Neuroscience, 41,* 110–113.

Yatin, S. M., Varadarajan, S., Butterfield, D. A. (2000). Vitamin E prevents Alzheimer's amyloid β-peptide (1-42)-induced neuronal protein oxidation and reactive oxygen species production. *Journal of Alzheimer's Disease, 2*(2), 123–131.

Yehuda, S., Rabinovitz, S., Mostofsky, D. I. (2005). Essential fatty acids and the brain: from infancy to aging. *Neurobiology of Aging, 26* (Supplement 1), 98–102.

Yurko-Mauro, K., McCarthy, D., Rom, D., Nelson, E. B., Ryan, A. S., Blackwell, A. . . . Stedman, M. (2010). Beneficial effects of docosahexaenoic acid on cognition in age-related cognitive decline. *Alzheimers Dementia, 6,* 456–464.

Zandi, P. P., Anthony, J. C., Khachaturian, A. S, Stone, S. V., Gustafson, D., Tschanz, J. T. . . . Breitner, J. C. (2004). Reduced risk of Alzheimer disease in users of antioxidant vitamin supplements: the Cache County Study. *Archives of Neurology, 61*(1), 82–88.

Zhang, J., Cao, Q., Li, S., Lu, X., Zhao, Y., Guan, J. S. . . . Chen, G. Q. (2013). 3-Hydroxybutyrate methyl ester as a potential drug against Alzheimer's disease via mitochondria protection mechanism. *Biomaterials, 34,* 7552–7562.

Zhang, S., Rocourt, C., Cheng, W. H. (2010). Selenoproteins and the aging brain. *Mechanisms of Ageing and Development, 131,* 253–260.

Zilberter, M., Ivanov, A., Ziyatdinova, S., Mukhtarov, M., Malkov, A., Alpár, A., Zilberter, Y. (2013). Dietary energy substrates reverse early neuronal hyperactivity in a mouse model of Alzheimer's disease. *Journal of Neurochemistry, 125,* 157–171.

The Dirty Dozen & the Clean Fifteen

A nonprofit environmental watchdog organization called Environmental Working Group (EWG) looks at data supplied by the US Department of Agriculture (USDA) and the Food and Drug Administration (FDA) about pesticide residues. Each year it compiles a list of the best and worst pesticide loads found in commercial crops. You can use these lists to decide which fruits and vegetables to buy organic to minimize your exposure to pesticides and which produce is considered safe enough to buy conventionally. This does not mean they are pesticide-free, though, so wash these fruits and vegetables thoroughly.

These lists change every year, so make sure you look up the most recent one before you fill your shopping cart. You'll find the most recent lists as well as a guide to pesticides in produce at EWG.org /FoodNews.

2017 Dirty Dozen

Apples	*In addition to the*
Celery	*Dirty Dozen, the*
Cherries	*EWG added one*
Grapes	*type of produce*
Nectarines	*contaminated*
Peaches	*with highly toxic*
Pears	*organophosphate*
Potatoes	*insecticides:*
Spinach	
Strawberries	Hot peppers
Sweet bell	
peppers	
Tomatoes	

2017 Clean Fifteen

Asparagus	Papayas*
Avocados	Pineapples
Cabbage	Sweet corn*
Cantaloupes	Sweet peas
(domestic)	(frozen)
Cauliflower	
Eggplants	
Grapefruits	
Honeydew	
melons	
Kiwis	
Mangos	
Onions	

*A small amount of sweet corn and papaya sold in the United States is produced from genetically modified seeds. Buy organic varieties of these crops if you want to avoid genetically modified produce.

Measurement Conversions

Volume Equivalents (Liquid)

US STANDARD	US STANDARD (OUNCES)	METRIC (APPROXIMATE)
2 tablespoons	1 fl. oz.	30 mL
¼ cup	2 fl. oz.	60 mL
½ cup	4 fl. oz.	120 mL
1 cup	8 fl. oz.	240 mL
1½ cups	12 fl. oz.	355 mL
2 cups or 1 pint	16 fl. oz.	475 mL
4 cups or 1 quart	32 fl. oz.	1 L
1 gallon	128 fl. oz.	4 L

Oven Temperatures

FAHRENHEIT (F)	CELSIUS (C) (APPROXIMATE)
250°F	120°C
300°F	150°C
325°F	165°C
350°F	180°C
375°F	190°C
400°F	200°C
425°F	220°C
450°F	230°C

Volume Equivalents (Dry)

US STANDARD	METRIC (APPROXIMATE)
⅛ teaspoon	0.5 mL
¼ teaspoon	1 mL
½ teaspoon	2 mL
¾ teaspoon	4 mL
1 teaspoon	5 mL
1 tablespoon	15 mL
¼ cup	59 mL
⅓ cup	79 mL
½ cup	118 mL
⅔ cup	156 mL
¾ cup	177 mL
1 cup	235 mL
2 cups or 1 pint	475 mL
3 cups	700 mL
4 cups or 1 quart	1 L

Weight Equivalents

US STANDARD	METRIC (APPROXIMATE)
½ ounce	15 g
1 ounce	30 g
2 ounces	60 g
4 ounces	115 g
8 ounces	225 g
12 ounces	340 g
16 ounces or 1 pound	455 g

Index

C

Cacao, 41–43
Calorie-restricted diets, 105
Capsaicin, 61
Carbohydrates, 11
Cardamom, 42
Cardiovascular disease, 6
Carotenoids, 53
Carrots, 61
Cauliflower, 61
Cell regeneration, foods for
    eggplant, 62
    garbanzo beans (chickpeas), 75–77
    grapes, 72
    kale, 55–57
    leeks, 63
Chamomile, 42
Chard, 54
Cherries, 70
Chia seeds, 83
Chile peppers, 61
Chocolate, 41–43
Cilantro, 42, 44
Cinnamon, 44
Citrus, 72
Coconut oil, 33–34, 86
Coffee, 35, 95
Cognitive function, foods for
    almonds, 83
    amaranth, 79
    apricots, 70
    arugula, 54
    asparagus, 59
    barley, 79
    basil, 41
    beer, craft, 91
    beet greens, 54
    beets, 60
    berries, 70–71
    black-eyed peas, 75
    black pepper, 41
    broccoli, 60
    brown rice, 79–80
    Brussels sprouts, 60

buckwheat, 80
bulgur, 80
cacao, 41–43
carrots, 61
cauliflower, 61
chamomile, 42
chard, 54
cherries, 70
chia seeds, 83
chile peppers, 61
citrus, 72
coconut oil, 86
coffee, 95
collard greens, 55
cumin, 44
dandelion greens, 55
extra-virgin olive oil, 86
farro, 80–81
fish, 88–89
flaxseeds, 83
garbanzo beans (chickpeas), 75–77
garlic, 62
hazelnuts, 84
jicama, 63
kefir, 91
kohlrabi, 63
leeks, 63
lentils, 76
licorice, 48
melons, 73
millet, 81
miso, 92
mung beans, 76
nutmeg, 48
oats, 81
okra, 64
onions, 64
peanuts, 78
pecans, 84
pistachios, 84
plantains, 73
plums, 73
pomegranates, 74
potatoes, 64
pumpkins, 65

V

Vegetables, 30, 59–69
Vitamins, 14

W

Wake Forest School of Medicine, 7
Walnuts, 85, 87
Wasabi, 53
Watercress, 58
Weight, 105
Western diet, 15

Wheat germ, 82
Whole grains, 32, 79–82
Winter squash, 68

Y

Yams, 69
Yogurt, 94

Z

Zucchini, 69

Acknowledgments

We would like to acknowledge and express sincere thanks to our families and friends for enduring the months of neglect while we worked on this publication.

To Sue's loving husband, Rod, who picked up the slack around the house, was endlessly patient, and was the best cheerleader, stress reducer and friend throughout the process. To daughters, Sarah and Sena, the sweetest and most supportive girls in the world. Thanks for even making dinner a few times! To Sue's forever-friend and business partner, Maureen Sykes, for holding up both ends of the partnership while this project was in full swing.

To SeAnne's children, Siraj, Signey, and Seagen, who have provided support and encouragement in the balance between motherhood and professionalism. To her wonderful husband, John, who is a great mentor, partner, friend, and exercise buddy.

To our parents—our biggest fans and role models—thank you! Without our beautiful moms, the passion behind this book would not have been the same. We miss them every day.

We are extraordinarily grateful to the bright college students who sacrificed their time to contribute to this endeavor. Elizabeth "Libby" Reynolds, you will be an amazing registered dietitian one day! Sarah Stillman, your linguistics and sharp editing skills have finally exceeded those of your mother. We can't wait to see how far you'll go in this world.

To our biggest supporters: Jamie Talan, our local neurology buff, mentor, and friend; Maria Ortega, marketing and communications manager from the University of Idaho; and all of the hardworking and loyal Registered Dietitian Nutritionists from the Idaho Academy of Nutrition and Dietetics and our other professional networks—thanks! Without all of you, we would be nowhere.

And last but not least, we would like to thank our amazing team at Callisto Media, including our editor Stacy Wagner-Kinnear. To the countless others who have helped and supported this book behind the scenes, you do exemplary work and we salute you!

About the Authors

 Sue Stillman Linja, RDN, LD, is cofounder, with SeAnne Safaii-Waite, of Nutrition and Wellness Associates. Sue is also president of S&S Nutrition Network, as well as cofounder and vice president of LTC Nutrition Counseling. Having worked in geriatrics for the entirety of her career, Sue is passionate about helping others age healthfully. Her main focus is on working with long-term care facilities in a variety of capacities, including nutrition services director, clinical dietitian, health facility surveyor, and dietitian consultant. Sue lives with her husband and children in Idaho.

 SeAnne Safaii-Waite, PhD, RDN, LD, is Associate Professor of Nutrition and Dietetics at the University of Idaho. With Sue Stillman Linja, she is cofounder of Nutrition and Wellness Associates. SeAnne is a registered dietitian, nutrition communications professional, and educator. The author of many journal articles and textbook chapters, SeAnne is also a sought-after nutrition expert for websites, newspapers, and local television networks. She is a recipient of the Academy of Nutrition and Dietetics' Outstanding Dietitian Award. SeAnne and her husband live in Idaho.

Printed in the USA
FMT401.142506281017

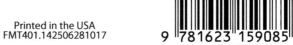